© 2017 Buzz Editora

Publisher ANDERSON CAVALCANTE
Editora SIMONE PAULINO
Assistente editorial SHEYLA SMANIOTO
Projeto gráfico ESTÚDIO GRIFO
Assistentes de design LAIS IKOMA, STEPHANIE Y. SHU
Revisão JORGE RIBEIRO, MARCELO LAIER,
MARINA CÁSTRO

Dados Internacionais de Catalogação na Publicação (CIP)
(Câmara Brasileira do Livro, SP, Brasil)

Gebrael, Tatiana
Abra seus olhos / Tatiana Gebrael
São Paulo: Buzz Editora, 2017.
288 pp.

ISBN 978-85-93156-30-4

1. Bem-estar 2. Olhos 3. Qualidade de vida 4. Saúde
5. Visão I. Título.

17-08967   CDD-612.84

Índices para catálogo sistemático:
1. Olhos: Visão: Medicina 612.84

Todos os direitos reservados à:
Buzz Editora Ltda.
Av. Paulista, 726 – mezanino
CEP: 01310-100 São Paulo, SP

[55 11] 4171 2317
[55 11] 4171 2318
contato@buzzeditora.com.br
www.buzzeditora.com.br

Tatiana Gebrael

abra seus olhos

o passo a passo para
enxergar melhor e sem óculos

19
1 Como voltei a enxergar

47
2 Operação tapa-buraco

77
3 A revolução necessária

91
4 Mitos e verdades sobre os olhos

127
5 Pilares do método

141
6 Terapias complementares

165
7 A visão e as emoções

199
8 Práticas

253
9 A epidemia de problemas
de visão em crianças

269
10 Posso ajudar as outras pessoas
com os exercícios visuais?

PEQUENO MANUAL DE COMO LER O LIVRO

- Este livro é contraindicado para quem não quer enxergar.
- Ele não traz efeitos colaterais e pode ser usado sem moderação.
- Sem a dose certa de determinação e disciplina, porém, os resultados podem ser comprometidos.
- Indicado para quem quer ver a vida com outros olhos e se apaixonar por esta nova maneira de enxergar.

Eu te desafio a experimentar. Experimente ver!

Aviso importante

As práticas deste livro podem ser úteis a qualquer um, mas nem a autora nem a editora pretendem apresentar aconselhamento médico, psicológico ou emocional específico. Não há, neste livro, qualquer argumento que possa ser entendido como diagnóstico ou cura para qualquer tipo de problema médico, psicológico ou emocional. Cada um de nós tem necessidades específicas, e este livro não tem como levar em conta estas diferenças. Os programas de tratamento, prevenção, cura ou saúde devem ser feitos somente com médicos e terapeutas licenciados e qualificados.

Parabéns, você começou bem. Poucas pessoas prestam atenção em todos os detalhes de um livro. Aquelas que, como você, lerem este parágrafo ganharão um incentivo extra para iniciar a leitura e a prática. É um material extra que fará diferença para você enxergar melhor.

Basta acessar o endereço **www.abraseusolhos.com.br**, dizer qual o melhor e-mail para eu enviar seu presente e digitar a palavra-chave **Primeiro Presente**.

Faça isso agora, antes de seguir adiante, o.k.?

INSTRUÇÕES ANTES DE USAR

Existem certos vilões que podem impedi-lo de chegar ao final deste livro. Antes de começar a ler, identifique se existe algum deles na sua vida:

Garota ocupada: Ela tem o poder da correria. Causa em você a ilusão de que nunca vai haver tempo para exercitar seus olhos. Faz você se ocupar, mas não produzir. Tira o seu foco, sua organização e o seu poder de realização.

Madame baixo-astral: Ela tem o poder do balde de água fria, que causa desânimo e preguiça para cuidar dos seus olhos. Se você planeja algo, ela lhe diz que é impossível, que você não é capaz e que não vai funcionar para o seu caso.

Procrástina: Ela tem o poder de empurrar com a barriga. Faz você deixar tudo para depois. Quem sabe começar a cuidar dos olhos na segunda-feira ou nas férias? Nunca agora.

Senhor enxaqueca: Ele tem o poder da tolerância zero. Esse senhor deixa você irritado consigo mesmo, com seus olhos, com as pessoas, com o mundo. Ele te faz reclamar de tudo e achar que nada está bom o suficiente.

Dona ansiedade: Ela tem o poder do "para ontem". Apressada e impaciente, faz você se cobrar resultados a todo momento e não te deixa relaxar. Atormenta você quando o exercício demora mais do que cinco minutos.

Se você reconheceu alguma dessas características em seu comportamento, entenda primeiro que elas são mais comuns do que você pode imaginar. Mas eu tenho certeza de que você é muito melhor do que esses vilões e, seguindo o nosso Desafio, ficará cada vez mais forte para enfrentá-los.

Opa! Vamos parar tudo e fazer uma avaliação de como anda sua visão. Será importante medir agora e depois que você colocar os exercícios deste livro em prática.
Primeiro, vamos entender qual a qualidade de sua visão. Circule a nota referente a cada questão.

QUESTIONÁRIO DE QUALIDADE VISUAL

1. Você considera sua rotina estressante? (0 é nada e 10 extremamente estressante)

2. Que nota você atribui para o cansaço dos seus olhos nas últimas semanas? (0 é nada cansado e 10 extremamente cansado)

3. Que nota você atribui para o cansaço do seu corpo nas últimas semanas? (0 é nada cansado e 10 extremamente cansado)

4. Você sentiu os seus olhos secos nas últimas semanas? (0 é muito lubrificado e 10 extremamente seco)

0 1 2 3 4 5 6 7 8 9 10

5. Você sentiu necessidade de usar colírios lubrificantes (só lubrificantes, e não os medicamentosos) nas últimas semanas? (0 é nada e 10 é muito)

0 1 2 3 4 5 6 7 8 9 10

6. Você sentiu sensibilidade à luz nas últimas semanas? Que nota você atribui para a intensidade desta sensibilidade? (0 é nada e 10 extrema)

0 1 2 3 4 5 6 7 8 9 10

7. Você sentiu necessidade de usar óculos de sol estas últimas semanas? (0 é nada e 10 muito)

(0) (1) (2) (3) (4) (5) (6) (7) (8) (9) (10)

8. Que nota você atribui ao desbotamento das cores nas últimas semanas? (0 é ótima visão de cores e 10 é péssima visão de cores)

(0) (1) (2) (3) (4) (5) (6) (7) (8) (9) (10)

9. Que nota você atribui ao embaçamento visual nas últimas semanas? (0 é sem embaçamento/muito claro e nítido e 10 muito embaçado)

(0) (1) (2) (3) (4) (5) (6) (7) (8) (9) (10)

10. Você sentiu dores de cabeça nas últimas semanas? (0 é nunca e 10 todos os dias)

(0) (1) (2) (3) (4) (5) (6) (7) (8) (9) (10)

11. Ainda com relação às dores de cabeça, que nota você atribui à intensidade desta dor? (0 é inexistente e 10 muito intensa)

(0) (1) (2) (3) (4) (5) (6) (7) (8) (9) (10)

12. Você sentiu dores nos olhos nas últimas semanas? (0 é nunca e 10 todos os dias)

(0) (1) (2) (3) (4) (5) (6) (7) (8) (9) (10)

13. Ainda com relação às dores nos olhos, qual a intensidade destas dores? (0 é muito fraca e 10 muito intensa)

(0) (1) (2) (3) (4) (5) (6) (7) (8) (9) (10)

14. Você teve dificuldades com o sono nas últimas semanas? (0 é nenhuma dificuldade e 10 extrema dificuldade)

(0) (1) (2) (3) (4) (5) (6) (7) (8) (9) (10)

15. Você se sente cansado e desanimado para iniciar o dia? (0 é nunca e 10 sempre)

(0) (1) (2) (3) (4) (5) (6) (7) (8) (9) (10)

16. Você se sente cansado e desanimado quando termina o dia? (0 é nunca e 10 sempre)

(0) (1) (2) (3) (4) (5) (6) (7) (8) (9) (10)

17. Você apresentou visão dupla com os dois olhos abertos nas últimas semanas? (0 é nunca e 10 a todo momento)

(0) (1) (2) (3) (4) (5) (6) (7) (8) (9) (10)

18. Você apresentou visão dupla em somente um dos olhos nas últimas semanas?
(0 é nunca e 10 a todo momento)

(0) (1) (2) (3) (4) (5) (6) (7) (8) (9) (10)

19. Você percebeu a presença de Moscas Volantes nas últimas semanas? (0 é nunca e 10 a todo momento)

(0) (1) (2) (3) (4) (5) (6) (7) (8) (9) (10)

20. Você percebeu reflexos (halos) quando olha para as luzes nas últimas semanas? (0 é nunca e 10 a todo momento)

(0) (1) (2) (3) (4) (5) (6) (7) (8) (9) (10)

21. Você teve dificuldade com visão noturna nas últimas semanas? (0 é nenhuma dificuldade e 10 é extrema dificuldade)

(0) (1) (2) (3) (4) (5) (6) (7) (8) (9) (10)

22. Você sentiu coceira e irritação nos olhos nas últimas semanas? (0 é nunca e 10 a todo momento)

(0) (1) (2) (3) (4) (5) (6) (7) (8) (9) (10)

Agora, vamos medir sua visão de perto:

Retire os óculos ou lentes de contato, caso utilize, e verifique qual tamanho de letras você consegue ler a uma distância de 30 cm.

Olhe para a próxima página e identifique de qual parágrafo você consegue reconhecer as palavras. Não precisa ler com facilidade, apenas conseguir ler.

Anote logo abaixo qual o número do parágrafo que você leu com os dois olhos, depois repita com um olho de cada vez.

Anote aqui o resultado de suas avaliações visuais:

data da avaliação visual	com os 2 olhos	olho direito	olho esquerdo

Independentemente do resultado, respire fundo, mesmo que você queira jogar o livro longe, porque agora viu tudo embaçado sem óculos . Tem jeito, o.k.? Milhares de pessoas já conseguiram e você também vai conseguir.

Você também precisa avaliar sua visão de longe. E, para isso, vou te enviar aquela famosa Tabela Visual de Letras, aquela utilizada no consultório do Oftalmologista. Você vai imprimir e verificar como está sua visão a distância.

Para receber a tabela, entre no endereço:

www.abraseusolhos.com.br

Deixe o seu e-mail e digite a palavra-chave **Tabela Visual**.

Você receberá também um vídeo explicando como fazer o teste e anotar os resultados.

1. Algumas regras gerais para facilitar a leitura:

2. Nunca leia com luz desconfortável.

3. Ao menos a cada 20 min pare por cerca de 5 min. Seus olhos necessitam de descanso.

4. Lembre-se de piscar constantemente, evitando que seus olhos fitem fixamente e fiquem ressecados.

5. Apresentamos algumas regras gerais que ajudarão a tornar mais fácil a seus olhos a leitura, mesmo que prolongada.

6. Nunca leia com luz desconfortável, e isto significa demasiado brilhante ou demasiado fraca.
A luz errada cansa seus olhos mais depressa do que qualquer outra coisa. Seus olhos vão lhe dizer se a luz é errada para eles, tudo o que você necessita é prestar-lhes atenção. Se ler parece difícil, a luz é a primeira coisa a verificar.

7. Ao menos a cada 20 minutos, mais ou menos, pare por cerca de 5 minutos. Do mesmo modo como você faria intervalos durante um intenso trabalho físico, seus olhos necessitam de intervalos no intenso trabalho de ler.

8. Lembre-se de piscar constantemente, para impedir seus olhos de fitarem fixamente ou ficarem ressecados. Se sentir seus olhos arderem após ou durante a leitura, talvez você tenha ficado tão envolvido com o que estava lendo que se esqueceu de piscar. Lembre-se de fazê-lo tão frequentemente quando puder.

9. Tente evitar tanto quanto possível qualquer coisa que esteja impressa em tipo difícil de ler. Às vezes, ficamos realmente surpresos com a total falta de consideração pelos olhos, óbvia em muitas publicações impressas em tipos tão esmaecidos, tão pequenos, tão pouco claros ou tão elaborados que provocariam um esforço ocular em qualquer pessoa. Tente ficar afastado de tudo isso. E se tiver dificuldade em situações inevitáveis, tais como com documentos ou listas telefônicas, não tente lê-los forçando os olhos. Facilite para seus olhos.

10. Respire. Mesmo que a sua mente esteja em outro mundo, seu corpo ainda está neste e seus olhos necessitam de oxigênio mais do que nunca, então continue respirando. Há tendência de se prender a respiração enquanto se lê, do mesmo modo como em muitas outras atividades que requerem concentração, assim, provavelmente, você precisará lembrar-se de fazer respirações profundas, bem como de piscar.

11. Em nenhum outro lugar como na leitura os princípios de movimentação ocular são tão importantes. O pior que você pode fazer ao ler, ao menos do ponto de vista dos olhos, é tentar apreender sentenças inteiras, ou mesmo parágrafos inteiros, simultaneamente.

12. Quando procedemos assim, inconscientemente estamos imitando o padrão de vista míope, fazendo saltos grandes e infrequentes e tentando abranger um grande campo visual. Lembre-se de que a mácula pode ver apenas pequenas partes de uma só vez e que vê movendo-se de um ponto ao outro.

COMO VOLTEI A ENXERGAR

> **"O que eu queria era fingir outra preocupação, o que eu queria era não ter que abrir os olhos."**
> **JOSÉ SARAMAGO**

"O cara era cego e voltou a enxergar!", ela me disse. "Como assim, cego? Como isso é possível?", pensei.

Nós duas estávamos empolgadas e intrigadas ao mesmo tempo para assistir a palestra do tal cara.

Era o começo de 2004, eu cursava Terapia Ocupacional na Universidade Federal de São Carlos e era a típica acadêmica que confiava muito em livros e pesquisas científicas. Mas naquela semana o clima estava diferente na faculdade. Falava-se muito de uma palestra que mostraria um método que estava recuperando naturalmente a visão das pessoas, a começar pelo próprio palestrante, que nascera com apenas 1% da visão e que já havia recuperado mais de 60% da capacidade de enxergar.

Era tudo muito novo, diferente e difícil de acreditar, mas eu e Thais, minha colega de faculdade na época, precisávamos conferir isso de perto.

A tal palestra aconteceria do outro lado da universidade, e o campus era tão grande que teríamos que ir até lá de ônibus e ainda caminhar um bom pedaço debaixo de sol quente. Ou seja, era trabalhoso, porém a curiosidade foi mais forte, e lá fomos nós.

"Espero que esse cara seja tão bom quanto estão falando", resmunguei, enquanto ajeitava os óculos escuros sobrepostos aos óculos de grau. Odiava claridade.

Quando chegamos ao auditório, procuramos um lugar, e, logo que nos sentamos, ajeitei o corpo na cadeira e fiquei aguardando com muitas expectativas.

Minha cabeça começava a dar sinais de que uma enxaqueca das bravas ia começar. E eu, que sabia o quanto as enxaquecas me incomodavam, tomei logo um analgésico. Se a situação piorasse, ia ter que passar os próximos dias dentro de um quarto, no escuro. Seria a única maneira de amenizar toda aquela dor.

Nos dias em que as enxaquecas me atingiam, tudo o que eu queria era ficar com os olhos fechados e esquecer que existia luz na minha vida. Era nas pausas entre luz e escuridão que eu me adaptava à minha rotina.

Quando o palestrante começou a falar, em inglês, observei seus olhos. Com sua maneira de falar descontraída, contou que tinha nascido com uma catarata congênita e apenas 1% da visão. Ele lia inicialmente em braile, mas tinha conseguido melhorar a visão a ponto de dirigir e ter carteira de motorista sem restrições, tudo isso praticando um simples método de exercícios.

Eu ouvia tudo duas vezes: ele falando em inglês e logo em seguida a tradução em português, o que me dava tempo de pensar e refletir sobre aquilo. As palavras dele ecoavam em minha mente. "Por que fui a oftalmologistas durante a minha vida inteira e nunca ouvi falar disso?", retrucava, em silêncio.

Por alguns instantes, fechei os olhos.

Vi minha vida passando em *flashes*, como num filme.

Lá estava eu, aos cinco anos de idade, sentada em minha cama, em Araraquara, interior de São Paulo.

Naquele dia, não eram as palavras que eram ouvidas duas vezes. Eram as bonecas do meu quarto que pareciam estar duplicadas.

Eu ainda ouvia a palestra, mas as palavras iam ficando distantes à medida que recordava a minha infância e os momentos em que eu começava a perceber que enxergava a vida de um jeito diferente.

Eu tinha acabado de acordar e fazia aproximadamente um mês que saíra do hospital por conta de uma meningite inesperada. A família toda tinha perdido o eixo com a doença e redobrado os cuidados comigo.

Olhei para as minhas bonecas. Cada uma delas parecia ter uma alma.

Pelo menos, era essa a explicação que eu dava a mim mesma para o fato de que as via duplicadas. Como na época havia uma novela em que a personagem saía do próprio corpo, eu acreditava que as minhas bonecas também tinham alma e estavam saindo do corpo delas.

Por isso, não achava estranho vê-las desfocadas.

Minha mãe entrou no quarto com uma pilha de roupas na mão e me pegou de surpresa, olhando para as bonecas, parada.

"O que foi, filha?"

"As minhas bonecas, mãe. Elas estão saindo do corpo." Ela olhou para as bonecas e não viu nada anormal. "Saindo do corpo?", perguntou.

Imaginou logo que eu estava vendo algum espírito. "Mãe, tem duas bonecas ali", continuei.

Ela olhou mais uma vez. Via apenas uma boneca. "Você está vendo duas bonecas ali?", perguntou de novo.

"Sim... e dois armários. Duas cadeiras."

Não sei se o suspiro que ela deu foi de alívio ou de preocupação. Pelo menos era um problema que ela achava que um médico poderia resolver. Assim, fomos ao médico no dia seguinte.

O oftalmologista logo disse que eu tinha um desvio nos olhos. Era ali que ele receitaria o meu primeiro par de óculos e deixaria a seguinte recomendação:

"Temos que acompanhar se o estrabismo dela evolui."

Fomos para casa e aquela determinação virou assunto de família. Eu me sentava no sofá da sala e meus tios e tias ficavam me observando para ver se o tal desvio permanecia. Sem querer, eu era o centro das atenções da família.

"Virou", dizia uma tia, quando via que um dos olhos estava indo em outra direção involuntariamente.

"Também vi que está envesgando o olho", rebatia a outra. E, dessa forma, eu me acostumava a ter essa atenção de uma forma negativa. Mesmo preocupados, eles não conseguiam fazer aquilo de outra forma. A pressão na cabeça dos meus pais era tão grande que eles logo me levaram ao médico de novo, quando foi detectado estrabismo.

"Vai ter que usar o tampão", disse o médico.

Eu ainda não sabia o que era um tampão, mas logo entendi que não era coisa boa. A dificuldade que minha mãe encontrava para fazer o tal tampão era tão grande que só as reclamações dela antes de começarmos o processo me faziam crer que teríamos problemas com aquilo. Isso porque os problemas mesmo nem haviam começado.

Na época, não existia o famoso tampão, ele precisava ser feito de forma caseira. Era um momento de *stress* para nós duas. Ela pegava a gaze, o esparadrapo e fazia linha por linha do tampão. Toda vez que tirávamos, ela tinha que fazer tudo de novo.

Além de dar um trabalhão danado para ela, aquilo era um martírio para mim. E isso a aborrecia.

Eu ainda não entendia o efeito do *stress* na saúde da nossa visão, mas tinha a impressão de que, nos momentos em que minha mãe praguejava contra o tampão, não era só eu que diminuía, era a minha capacidade de enxergar que também ficava menor.

Para piorar, a cola do esparadrapo ficava sempre grudada na pele e a marca do tampão no olho direito era constante, já que o calor e o sol da cidade eram massacrantes. As memórias que eu começava a cultivar não eram, nem de longe, as melhores. Imagine uma criança que, quando está sem o tampão, tem uma marca gigante no rosto?

Na época, não tirávamos sequer as tradicionais fotos em família. Como meu pai não queria que eu saísse em fotos com o tampão, ele preferiu não tirar fotos enquanto eu o estava usando. Todos tinham resistência em registrar aquela imagem. E eu sentia, aos poucos, o quanto era incômodo conviver com aquilo tudo.

Mas a dor de cabeça maior viria na escola.

Além de ficar sempre constrangida com o tampão ou a marca que ele deixava ao redor do olho, eu comecei a ter problemas com os apelidos que me colocavam por conta de eu usar óculos.

Na época, era incomum que crianças usassem óculos – principalmente tão espessos –, por isso eu ouvia de tudo quando pisava na sala de aula. "Quatro-olhos" e "fundo de garrafa" eram praticamente meus sobrenomes.

Inquieta, eu os enfrentava, e os xingamentos ficavam ainda mais massacrantes, o que fazia com que eu tivesse poucos amigos. Tinha raiva daquela situação, em todos os sentidos. Não sabia o que era ter uma turma grande de amigos, mesmo sendo a representante de classe e a melhor aluna da sala.

Creio que para compensar a falta de habilidade social, me fiz desenvolver outras habilidades, como ser uma boa aluna, tocar instrumentos musicais, cantar, ser uma boa oradora. Porém, passar essa fase da vida sem muitos amigos não foi fácil – acho que não é para nenhuma criança ou adolescente, na verdade.

Em paralelo, a rotina com oftalmologistas corria solta. Ia ao consultório frequentemente, chorava com a ardência ao dilatar a pupila, ficava dias e dias com sensibilidade à luz e, cansada de tantos testes, sentia-me uma cobaia. Ainda com tão pouca idade, eu já tinha cinco ou seis graus em cada olho.

Minha mãe tentava amenizar meu sofrimento – tanto pelo *bullying* quanto pela minha dificuldade em enxergar – escolhendo óculos bonitos e coloridos. Só que, para seu desespero, eu frequentemente os quebrava. Era uma criança estabanada e enxergava pouco, então tudo caía das minhas mãos com facilidade.

Minha visão periférica era péssima, e eu ficava oito horas por dia com tampão. Os graus aumentavam ano após ano, e eu era totalmente dependente dos óculos, que tinham, literalmente, fundo de garrafa.

Conforme eu crescia, ficava mais difícil lidar com aquilo tudo. A dependência dos óculos, além de chata, era inconveniente. E eu não via luz no fim do túnel. Aliás, o que eu queria era fugir da tal luz, onde quer que ela estivesse. Nessa época, começava a minha tão incômoda intolerância ao sol. Adolescente, eu não achava charmoso usar óculos. E tampouco havia alguma outra menina como eu. Então, em certas manhãs, cansada de brigar com o mundo, eu acordava sem querer ir para a escola.

Na verdade, minha rotina na escola tinha dias bons e ruins; nem tudo era *bullying*, mas para uma adolescente, os dias ruins ganham tanta importância que isso por vezes me tirava a vontade de ir para a escola.

Abria os olhos, mas não queria acordar para a vida.

Você já acordou sem querer abrir os olhos? Pois é. Eu vivi essa realidade durante muito tempo ao longo da minha adolescência.

"Não vou hoje", falava, aos prantos, para a minha mãe, quando já estava no colegial. Ela tentava me convencer, e sabia que havia algo errado quando eu chegava chorando em casa; por vergonha do que estava acontecendo, eu não contava.

Sair da escola não era uma possibilidade, já que eu tinha uma bolsa de estudos. Por isso, eu tentava com todas as forças me acostumar à rotina de insultos, que não eram poucos.

Houve uma época em que o que me salvava – em todos os sentidos – era que eu adorava fazer esportes e, mesmo com a vista atrapalhando, eu tirava os óculos na hora da aula de educação física. Era um respiro para a menina que sempre era massacrada dentro da sala de aula.

Ao mesmo tempo que crescia sem entender meu corpo, queria estudar o corpo humano.

Não senti que faria faculdade de Medicina, mas queria cuidar das pessoas. E foi assim que fui parar no curso de Terapia Ocupacional (T.O.). Meu plano era frequentá-lo por apenas seis meses e pedir transferência para Fisioterapia. Só não imaginava que iria me apaixonar pelo curso de T.O.

Dirigia todos os dias de Araraquara até São Carlos, com óculos de grau por baixo e óculos escuros por cima, para chegar à faculdade. Como não conseguia usar lente, já que elas saltavam dos meus olhos em razão do alto astigmatismo, a única alternativa era essa: dois óculos, um por cima do outro, rezando para não ser parada por nenhum policial. Além disso, tinha vergonha de sair de óculos com os namorados. Por conta disso, passei por maus bocados. "Vamos ao cinema?", disse certa vez um garoto que eu tinha conhecido e por quem tinha me interessado.

Como já havia tentado usar lente e não tinha dado certo, fui sem os óculos. Tinha vergonha de usar óculos com lentes tão grossas e não me achava nada bonita com eles. Eu não queria uma barreira entre os meus olhos e o mundo.

Só que o filme era legendado. Para driblar o desconforto, fingia dar risada quando ele ria e prestava atenção quando ele ficava vidrado na tela. Mesmo sem conseguir enxergar aquele telão gigante bem na minha cara. Saí do filme com uma baita dor de cabeça, mas mantive a pose.

Este tipo de situação se tornava cada vez mais comum, mas foi na faculdade que começaram os episódios de enxaqueca mais intensos, combatidos com doses diárias de analgésicos e retiros no quarto escuro. Mesmo sem ter perdido a visão, eu já ficava no escuro. Era como se não quisesse abrir as cortinas do quarto para ver o dia.

E, falando em luz do dia, lembro quando, durante a palestra da faculdade, o palestrante nos convidou para levantar e fazer um relaxamento visual.

Eu finalmente abri os olhos.

Eu decidi abrir os olhos e tentar enxergar a vida sob um novo prisma. Eu me abri para algo que jamais imaginara conhecer ou vivenciar.

Quando percebi, já estava de pé, pronta para seguir suas instruções. Mais do que isso, estava disposta a ver o que ele tinha para dizer.

Ele propôs um relaxamento e eu resolvi testar. O alívio da tensão nos olhos foi imediato. Fiquei espantada.

Enquanto dava pequenos beliscões na minha própria testa, entendia: eram vinte anos de tensão acumulada no mesmo local.

Naquele momento, comecei a conhecer melhor meu corpo. E passei a me questionar por que, numa das melhores faculdades do país, um trabalho tão pioneiro como aquele não tinha uma visibilidade maior. Quando ele nos convidou a fazer um exercício ao ar livre, duvidei de mim mesma.

Eu teria que expor meus olhos ao sol. Mesmo que estivessem fechados, isso me causava um certo pânico e aflição.

Para uma pessoa que era praticamente uma vampira, de tanto que fugia da claridade, era um desafio e tanto.

Assim que experimentei o exercício, algo dentro de mim despertou. A resistência parecia ter acabado, mas ela ainda era insistente. Em vez de pensar em tratar a mim, eu comecei a pensar em como poderia usar esse método para tratar outras pessoas.

É comum, quando vemos algo que pode nos ajudar, já pensarmos em como aquilo pode ajudar as pessoas que têm o mesmo problema que nós. Naquela hora, minha cabeça só pensava em como poderia ajudar meus pacientes do Hospital Universitário, que eu já atendia como parte do estágio da faculdade.

Eu saí da palestra muito empolgada, e um tempo depois fiquei ainda mais, pois o departamento de

Terapia Ocupacional anunciou que disponibilizaria seis vagas para um treinamento gratuito no método natural da visão. Nesse treinamento, eles ensinariam fundamentos do método e mais exercícios visuais.

Como a procura foi grande, o departamento decidiu fazer um sorteio das vagas.

Meu desejo de ser sorteada era tanto que a Thaís também colocou o nome dela dizendo que, caso fosse sorteada, daria sua vaga para mim. Eu me lembro que era algo entre cem e duzentas pessoas concorrendo a seis vagas. A probabilidade era pequena, mas a minha vontade era maior do que a de qualquer um ali.

Quando, dias depois, vimos nossos nomes na lista de sorteados, vibramos e pulamos juntas. A emoção invadia nosso corpo, nossas células. Eu mal podia acreditar! Nós duas tínhamos sido presenteadas com o treinamento.

Minha sensação era de que a minha vida iria mudar. Eu já conseguia ver isso. Mesmo sem enxergar.

Aos poucos, os véus que me separavam do mundo e o deixavam invisível iam se dissipando.

Foi um divisor de águas em minha vida.

Comecei o treinamento ansiosa e sabendo que aquele conhecimento tão valioso não era difundido e praticado no dia a dia dos consultórios médicos.

No treinamento, éramos convocados a trabalhar com o método, e eu estudava, dia após dia, tentando entender a anatomia dos olhos e fascinada com aquela nova descoberta. Em paralelo, as dores de cabeça iam embora sem que eu percebesse.

Ao mesmo tempo que eu sentia a melhora, eu entendia a melhora. Só que, quando vi que não tinha dores de cabeça há semanas, comecei a me preocupar.

Eu não era dessas pessoas que acreditam em métodos alternativos, mas a realidade é que estava funcionando comigo. Minhas células vibravam tanto no processo de cura, e o inconsciente era tão forte, que eu lutava contra aquilo. Como tinha parado de tomar remédio para as minhas enxaquecas constantes? Como aquilo era possível?

Eu, a pessoa que muitas vezes desconfiou dos métodos alternativos dizendo, de boca cheia, que Medicina e Ciência eram o que funcionava, comecei a apostar nos exercícios para os olhos. Os resultados eram visíveis: certo dia, eu não estava mais usando óculos de sol. Aquele ceticismo que me impedia de ver a vida de outra maneira começou então a dar lugar a um universo de possibilidades.

Alguns meses depois, abriu uma turma do curso mais aprofundado de formação no método. E eu logo resolvi mergulhar naquele assunto. Tinha a impressão de que não era eu que estava buscando o método. Era como se aquilo estivesse me buscando. Na verdade, Deus estava colocando algo em minhas mãos que eu nem imaginava o quanto seria uma benção e quantas pessoas eu acabaria ajudando.

Eu estudava muito, aprofundava-me no método, usava meus conhecimentos, atendia voluntariamente muitos pacientes, e os resultados eram perceptíveis.

Eu já sentia muito mais conforto em ficar sem os óculos de grau. Aquilo me emocionava, principalmente porque eu jamais imaginaria que, um dia, tal feito seria possível.

Eu não só abria os olhos para algo novo, como me permitia experimentar e aplicar aquele método em pacientes no Hospital Universitário.

Eu, de verdade, não sei se a alegria era maior com a minha transformação ou com a transformação deles. Como era bom ajudar outras pessoas a também enxergar melhor!

E não era só através da visão. Comecei a perceber o quanto as minhas emoções precisavam ser trabalhadas. Estava tudo relacionado: o corpo é uma máquina perfeita em que tudo se interliga. Para o olho funcionar, era necessário soltar a mandíbula e o quadril e, acima de tudo, querer enxergar.

Fui entendendo que exercícios para os olhos funcionam como qualquer exercício para o corpo. Basta fazê-los para notar os resultados. E esses resultados surgem conforme a frequência e a dedicação do aluno. Assim como na academia, não bastava se inscrever e não ir à aula, e esperar que o corpo ficasse em forma por si mesmo. Para se ter resultados, era preciso fazer um pouco de exercício diariamente.

As mudanças nos pacientes também eram corporais e emocionais. E eu, a cética, a pessoa que confiava muito em pesquisas científicas, rendia-me aos resultados de um método que era contestado por oftalmologistas, mas que trazia soluções para um problema que ninguém queria enxergar. Era a cegueira diante do processo do corpo. Era a dificuldade da Medicina em reconhecer que existia algo que podia não apenas remediar as coisas, como curá-las.

Enquanto as outras terapeutas ocupacionais estavam trabalhando para fazer com que os cegos pudessem ter uma qualidade de vida melhor, eu queria fazer as pessoas voltarem a enxergar.

Eu despertava para uma nova vida.

Dentro de mim, tudo me impulsionava a seguir adiante. Por isso, em 2006 embarquei para São Francisco, Califórnia, a fim de fazer a última parte da formação avançada no método de melhora natural da visão.

Quando voltei ao Brasil, comecei a ver os quadros de melhora de cada paciente. Era fantástico e eu me emocionava em cada passo.

Comecei a ficar ainda mais fissurada com a estrutura dos olhos: fiz mestrado, pós-graduação em baixa visão e iniciação científica no assunto. Eu estava faminta por esse conhecimento.

Assim que me formei, abri meu consultório.

Como algumas pessoas não tinham como pagar a consulta, eu atendia um grupo de maneira voluntária num frequentado parque de São Paulo, o Villa-Lobos. Lá, ensinava os exercícios gratuitamente aos sábados pela manhã, movida pela vontade de fazer as pessoas enxergarem. E, então, começaram a pipocar os primeiros casos de sucesso.

Havia um senhor com pressão nos olhos que começou a fazer os exercícios, mas seu médico indicara a cirurgia num deles. Mesmo assim, ele continuou firme no método.

No dia da consulta, o médico falou:

"Olha só! A cirurgia funcionou!", e pediu para medir a pressão ocular do outro olho, o que ainda não havia sido operado. Quando constatou que a pressão do outro olho também tinha baixado, não conseguiu entender qual era a mágica.

O paciente me ligou para contar e meus olhos se encheram de lágrimas. Eram lágrimas de felicidade.

Meus olhos contavam a minha história através dessas lágrimas.

Os casos inevitavelmente se multiplicaram. Um paciente com descolamento de retina voltava a ver, uma criança que não enxergava a lousa diante de si passava a enxergar sem óculos. As pessoas começaram a comentar umas com as outras e o consultório deixou de ser invisível. Ao mesmo tempo, eu era uma só. Não tinha tempo hábil para atender tanta gente e não queria aumentar o preço das consultas, o que iria inviabilizá-las justamente para quem mais precisava.

Essa foi uma das circunstâncias que me levaram a pensar em colocar vídeos na internet. Mas não tinha nem página nas redes sociais e não sabia se as pessoas conseguiriam o mesmo resultado se fizessem o treinamento a distância.

Ao mesmo tempo, eu entendia cada vez mais que o ponto central do método era que cada um se empoderasse do próprio tratamento. Ou seja: para dar certo, era só fazer os exercícios. E para fazer os exercícios era preciso criar uma rotina e conseguir mantê-la.

Em um primeiro momento as pessoas pensam que basta aprender os exercícios, mas depois de anos de experiência, sei que isso é só um detalhe. O maior desafio na realidade é conseguir fazer com que as pessoas façam o que é melhor para elas, que elas efetivamente exercitem seus olhos.

Não adianta saber os exercícios e não conseguir colocar em prática, ou então começar e logo desistir, assim como fazemos com tantas outras coisas na vida.

E eu precisava encontrar uma maneira de fazer com que as pessoas entendessem isso. Eu precisava dizer a elas: pegue a chave do seu corpo de volta.

Criei brincadeiras para que os exercícios ficassem mais divertidos, e algumas técnicas para adaptar os treinos visuais à rotina de cada pessoa.

E eu via todos os dias no consultório as técnicas funcionarem e as pessoas voltarem a enxergar bem.

Comecei então a gravar alguns desses casos em vídeos com os pacientes contando o resultado que tinham alcançado. Foi algo incrível ver esses vídeos se espalhando pela internet.

Eu queria fazer com que um número maior de pessoas encontrasse essa chave, sabe? Eu não poderia continuar com a angústia de ver pessoas querendo ser atendidas para não perder a visão, e eu sem conseguir encaixá-las nos meus horários. Aquilo precisava ficar disponível para todo mundo.

No primeiro curso *on-line*, que batizamos de Olhos de Águia, já tivemos um resultado fantástico. Era gente do Brasil todo, e a internet conseguia espalhar o material rapidamente. Pessoas curadas de visão dupla, catarata, glaucoma, olho seco, mosca volante, astigmatismo, miopia, ceratocone e todos os tipos de problemas de visão, dos mais simples aos mais complexos.

E, ao mesmo tempo, os eventos ficavam cada vez mais lotados. Quando atingi a marca de 100 mil inscritos em meu canal no YouTube, percebi que a cada dia mais e mais pessoas compartilhavam suas histórias de recuperação da visão. Eram os alunos olhos de águia. Pessoas que enxergavam melhor de perto e de longe, que tinham se livrado definitivamente dos óculos sem cirurgias ou medicamentos; haviam conseguido isso através da utilização de um método simples e natural, muitas vezes depois de ouvirem de oftalmologistas que nada mais poderia ser feito no caso deles.

Com tamanha repercussão e transformação gerada, os vídeos e o curso Olhos de Águia também foram traduzidos para outros idiomas. Me vi estudando novas línguas para poder levar essa transformação para o mundo.

Quem já estudou outros idiomas sabe que não é fácil – eu, pelo menos, não tenho tanta facilidade –, mas esse movimento de melhora natural me incentiva tanto que supero qualquer barreira para abrir os olhos de mais e mais pessoas. E é sensacional receber depoimentos em espanhol, inglês, de pessoas de muitos países diferentes.

E olhando tudo isso que aconteceu, só muito recentemente entendi que Deus tinha um plano para minha vida.

Eu fui a criança com problema visual, que desenvolveu certas habilidades de comunicação para compensar as dificuldades passadas na infância e adolescência, que estudou Terapia Ocupacional, uma faculdade que, entre muitas outras coisas, nos ensina a adaptar a rotina das pessoas, e que teve a oportunidade de estudar o método e ajudar tantas pessoas.

Muitas vezes não entendemos o porquê da nossa dificuldade. Eu não entendia por que era a quatro-olhos da minha sala, mas hoje agradeço a Deus tudo o que aconteceu comigo, e creio que você também vai agradecer, por mais contraintuitivo que isso pareça hoje.

Nós nunca seremos capazes de entender os planos de Deus, somos muito pequenos para isso. A visão d'Ele, sim, é a maior de todas.

Da pessoa que acreditava muito e quase que exclusivamente na Medicina tradicional, me tornei a especialista no método que mais ajudou pessoas a enxergar melhor no mundo todo, inclusive em outras línguas. Palestras para mais de 1.200 pessoas, conferências internacionais, dezenas de milhares de alunos e vídeos assistidos mais de 21 milhões de vezes na internet – mais precisamente 21.160.615 vezes até este momento em que digito estas palavras para você.

Eu quero que você também faça parte dessa revolução e veja isso com seus próprios olhos. Eu acredito que você vai ver.

O SEU PORQUÊ

Convido você a fazer um exercício. Você vai escrever o seu porquê. Por que você está lendo este livro? Por que você quer saber mais sobre este tratamento natural? Eu quero um porquê objetivo. Não adianta falar que você quer enxergar melhor.

Tenha em mente o seu objetivo

Coloque no positivo e no afirmativo, assim é mais fácil o seu cérebro se conectar com o seu porquê. Ele vai embasar toda a sua prática. Não adiantam táticas mirabolantes de rotina e motivação, se você não tiver essa clareza.

Alguns exemplos:
Quero tirar carteira de motorista.
Quero enxergar o rostinho dos meus netos.
Quero diminuir o grau dos óculos.
Quero evitar cirurgia de catarata.

> **#MeuPorQuê**
> Quero continuar admirando, ENXERGANDO e me encantando com a Beleza em cada coisa, em cada Ser, em paisagens como essa, que amo (O vale do Capão, onde vivo)!!! <3
>
> Zelice Peixoto, 24 de abril
>
>

#MeuPorQuê

Sabia que compartilhar o seu porquê ajuda a torná-lo real?

Quando as pessoas sabem do seu objetivo, elas podem te ajudar a alcançá-lo. Um amigo pode te mandar um artigo especial que encontrou sobre olhos, seu companheiro ou companheira pode te incentivar com as práticas no dia a dia. Enfim, você recebe ajuda até mesmo de quem não esperava, pelo simples fato de compartilhar o seu porquê.

Até a minha ajuda você vai receber por isso, sabia?

Compartilhe agora o seu porquê em sua rede social e eu te enviarei um áudio com um exercício visual exclusivo, excelente para você iniciar suas práticas.

Para isso, entre no site **www.abraseusolhos.com.br**, deixe seu e-mail, e logo em seguida você verá a opção de compartilhar suas realizações.

Siga as instruções e compartilhe utilizando **#meuporquê** para receber o meu presente, na mesma hora, em seu e-mail.

Quais as consequências de não cuidar dos seus olhos? De não fazer nada pela sua visão?

As consequências podem ser desastrosas e eu quero que você coloque aí. Você pode perder a visão, aumentar o grau dos óculos ou piorar a nitidez da visão. Escreva CADA UM dos tópicos dessas consequências.

O que faz você seguir em frente, mesmo que todo mundo desista?

No dia em que estiver desanimado, pegue essas anotações. Deixe-as de uma maneira visível e tenha em mente que o sucesso demanda mais. É muito mais fácil estender a mão e pegar os óculos, mas você está aqui, disposto a seguir um novo caminho.

Como esse caminho é novo, seu cérebro pode tentar te parar, as pessoas que mais te amam talvez tentem te parar. Você vai encontrar resistências, mas precisa persistir. E se você tem um porquê, você tem uma arma poderosa para seguir em frente.

Para irmos além, busque uma imagem de como é você enxergando melhor. Pode ser uma imagem de revista, ou uma imagem que represente você com olhos de águia. Isso é para você se lembrar do propósito dessa sua busca.

#MeuPorQuê?
Escolhi esta imagem para lembrar meu ser da natureza, da qual os meus olhos também fazem parte, e da beleza da flor, que o caminhar da paciência e peristência sempre me revelará...

Cassia Montanarini, 31 de maio

#MeuPorQuê?
A imagem que representará a saúde dos meus olhos serão meus próprios olhos de criança... tão vivos... tão puros e perfeitos... felizes... e belos!

Rosangela Ungarette, 31 de maio

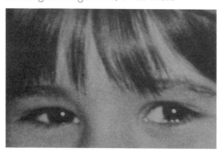

#MeuPorQuê?

O meu gatilho é a foto da minha CNH com a observação de que necessito dirigir com óculos. Vou renovar minha CNH com a visão perfeita. O campo de observações estará em branco. Já imprimi e colei na minha geladeira.

Marta Sueda, 31 de maio

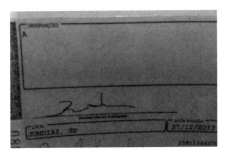

#MeuPorQuê?

Escolhi esta imagem porque ela representa a minha visão perfeita, genuína, para me lembrar sempre que isso é possível!

Claudete Moretto, 31 de maio

PAUSA

Antes de continuar o livro, você pode fazer alguns exercícios:

Calma! É só uma brincadeira! Os exercícios são com os olhos! Você pode ficar paradinho aí, ufa!

- Gire os olhos para a direita e para a esquerda.
- Pisque um olho de cada vez por alguns segundos.

De olho nas dicas

Sabia que você tem células da coruja em seus olhos?

A coruja tem uma visão dez vezes melhor do que a nossa durante o dia e cem vezes melhor do que a nossa durante a noite. Ela não se orienta só pela visão, mas também pelos ouvidos.

Sabe quais são as células da coruja que você tem em seu olho? São os chamados bastonetes.

Quer uma dica para ter visão de coruja?

Tome banho no escuro e estimule sua visão periférica mexendo as mãos na altura dos ombros, sem olhar para elas, olhando para a frente e piscando de maneira suave.

**Usar óculos não é um tratamento.
Óculos são muletas.**

OPERAÇÃO TAPA-BURACO

A verdade sobre os tratamentos convencionais para os olhos

"O pior cego é aquele que não quer ver."
DITADO POPULAR

"Ela está enxergando!"

Aquela notícia vinha de longe. Lá da Paraíba.

Parei tudo o que estava fazendo e comecei a ler o e-mail.

Uma notícia como aquela era mais do que uma injeção de ânimo. Era a certeza de que eu precisava continuar, de que eu estava conseguindo colocar minha missão em prática.

Por mais que eu divulgasse o método, acreditasse nele e colocasse literalmente a minha cara para bater nos vídeos, nos quais falava abertamente sobre a epidemia de cegueira que estava atingindo o mundo e era absolutamente ignorada pelos oftalmologistas, que continuavam com suas metodologias ultrapassadas e sem resultado, muitas vezes eu desanimava.

É difícil lutar contra o senso comum.

E, por mais que eu soubesse o quanto estava agindo em prol de algo que mudaria a maneira como as pessoas enxergavam o mundo, eu perdia um pouco as forças toda vez que alguém queria ser "convencido" por mim a testar o método.

Sabe, tem dias em que você acorda com a pá virada e pensa: será que passar por tudo isso vale a pena?

Por que eu vou lutar contra o mundo? Para que ficar tentando convencer as pessoas, dando murro em ponta de faca, e ainda ser criticada por isso?

Mas Deus é tão incrível que, em um desses dias de desânimo, eu recebi aquele e-mail contando de uma pessoa que era cega e voltara a enxergar com a ajuda dos meus vídeos. Sim, era real, ela era cega e voltara a enxergar.

Quando soube da história da Dona Margarida, que tinha começado a fazer poucos exercícios, sem muita fé, lá na Paraíba, depois de receber a visita de um aluno meu, respirei fundo.

Aquilo era uma grande conquista.

Sim, vale a pena, Tati, continue, continue, continue.

Margarida, que então estava com 69 anos, tinha sido completamente desenganada pelos médicos.

Quando tinha sete anos, disseram a ela que tinha um problema de nascença em um dos olhos, e então começou a usar óculos. Ora glaucoma, ora miopia ou astigmatismo, e a dificuldade de enxergar com o outro olho só foi aumentando.

O tempo tinha passado e sua maneira de enxergar a vida já não era tão doce.

Foi aos sessenta e poucos anos que percebeu que ficaria cega de vez. O que tinha começado com uma visão embaçada avançara para um problema de visão e piorava a olhos vistos. Só para ela aquilo não estava claro. Como todo mundo, Dona Margarida achava que era o curso da vida. Perderia a visão por completo com a idade.

Até que, numa tarde escura e cheia de névoas, o médico deu o veredito:

"Infelizmente não existe cura para sua visão."

Aquela frase fez com que baixasse os olhos e os ombros. Encurvou seu corpo num gesto de derrota. Tinha perdido o sentido mais valioso. Não poderia ver o sol, as pessoas, as cores e tampouco a sua novela preferida. Não poderia sair de casa ou fazer o que gostava.

Ela, visualmente, não conseguia diferenciar o que era o pó preto de café do branco do açúcar. Tinha que experimentar para não trocar os ingredientes durante os preparos.

Teve medo. Não queria aceitar o diagnóstico, mas não imaginava o que poderia fazer.

Em suas noites, rezava por um milagre enquanto as palavras ecoavam em sua mente: "Você nem pode carregar peso porque seu globo ocular pode estourar". Para uma mulher que estava acostumada a trabalhar em casa, não poder fazer quase nada era praticamente uma sentença de morte.

Ela persistia. Queria ver se aquilo era real.

Mergulhada em uma escuridão sem fim, ela, literalmente, se enfiava em um buraco. Certa vez, teve que ser socorrida porque tinha caído dentro de um bueiro. Sua família decidiu intervir e proibiu que saísse na rua sozinha.

Mas, acredito, a força do método é justamente essa chave que cada aluno encontra. Com essa chave nas mãos, as pessoas que conseguem voltar a enxergar passam a se conectar com outras pessoas e a disseminar o método, tentando mostrar que existe um caminho. E esse caminho acaba chegando até as pessoas que precisam.

Dona Margarida não encontrou o método. O método a encontrou.

Tudo começou quando José Claudio Soares, um dos meus alunos que tinha voltado a enxergar, fez uma viagem à Paraíba. Conversando com um amigo, surgiu o assunto de que Dona Margarida, que ele nem conhecia, tinha ficado cega.

Tocado, ele foi até sua casa e ensinou a ela alguns exercícios, como o de olhar para o sol com os olhos fechados, e algumas massagens. Fez com que ela entendesse como fazer a conchinha com as mãos e começou a instruí-la a praticar pelos próximos dias.

A primeira impressão dela foi a de que aquilo não iria funcionar. Sem muita fé no que ele dizia, ela começou a fazer diariamente, como se fosse tirar a "prova dos nove", e, no quarto dia, percebeu que havia algo estranho.

"As nuvens... eu estou vendo as nuvens", exclamou para o filho. Ela não tinha morrido nem estava no céu. Mas abria os olhos e conseguia discernir as nuvens e suas formas.

Impressionada, continuou com os exercícios e resolveu fazê-los com total disciplina. Viu as janelas e foi se animando. Até o dia em que percebeu que estava assistindo à novela. E que não estava só escutando. Estava conseguindo enxergar.

"As letras, Thiago", disse no final ao filho.

"O quê?", ele perguntou à mãe.

"Eu estou enxergando. Estou vendo as letras", ela disse.

"Impossível, mãe", ele rebateu.

Mas aí ele pegou um livro e ela começou a ler. Lia e chorava, lavando os olhos desenganados pelos médicos. Lavando a alma, que estava cansada de pedir a Deus uma solução que nunca vinha.

No dia em que percebeu a melhora em sua visão, resolveu sair de casa. As pessoas, acostumadas a segurarem seu braço, ficaram espantadas quando ela saiu andando na frente, dizendo:

"Eu é que vou guiar vocês hoje."

Dona Margarida voltou não só a enxergar. Dona Margarida voltou a viver. Entusiasmada, sai diariamente sozinha, vai ao supermercado, ao banco, e se orgulha de conseguir enxergar as letras pequenas do extrato.

Depois de ficar sabendo dessa história, corri para minha equipe e para o meu sócio e disse:

"Temos que ir até a Paraíba, eu quero conhecer Dona Margarida pessoalmente."

Desembarquei em Recife e fui recepcionada por José Claudio. Seguimos mais quatro horas de estrada até chegar à casa simples de Dona Margarida.

Arrepio-me só de lembrar o dia em que a abracei. Infelizmente, eu não consigo abraçar todos os meus milhares de alunos pessoalmente, então ali não estava abraçando só Margarida, e sim todos aqueles que um dia já se beneficiaram do meu trabalho. Todos aqueles que fazem valer a pena. Ela fez uma tapioca deliciosa e preparou o café para todos nós sem ter que experimentar para saber se era o açúcar ou o café. Ela enxergava e se virava na cozinha. E o mais importante: ela sorria. Sorríamos, na verdade, e chorávamos de emoção.

Nesse dia, gravamos um vídeo lindo com a história dela. Você pode ver o rostinho da Dona Margarida e se emocionar com a conquista dela acessando este link: http://bit.ly/olhosmargarida.

A vitória de Dona Margarida era a minha vitória. Era a prova de que eu estava no caminho certo de guiar as pessoas para que não só pudessem recuperar a própria visão, como também pudessem servir de inspiração para que os amigos, conhecidos e quem mais estivesse em seu campo de visão voltassem a enxergar.

Como dizia Fernando Pessoa: "Quem não vê bem uma palavra, não pode ver bem uma alma". Eu conseguia entender a falta de ânimo na vida das pessoas que paravam de ter convívio social com outras após a perda da visão. O pior de tudo é que a maioria delas começa a vivenciar isso aos poucos, sem se darem conta de que a piora progressiva não é algo normal.

Isso certamente já deve ter acontecido com você ou com alguém do seu convívio. Você está naquela rodovia. As paisagens parecem as mesmas, mas, de repente, a placa não está mais tão nítida. Você força a visão para enxergar a quilometragem e continua viajando. Ou abre o celular e percebe que as letras estão quase entrelaçadas. Você força a vista como se isso fosse normal na sua idade.

Algumas pessoas se queixam de dor de cabeça. Nem sabem se é a visão, mas sofrem com o sintoma. Ou o olho fica cansado, coça, arde... E quando surge aquela sonolência ou irritação ao ler livros, você os deixa de lado.

E a sensação é sempre a mesma. Você comenta com alguém, e a pessoa logo diz que é normal. E, como todo mundo faz, lá vai você marcar um oftalmologista para entender o que está acontecendo com sua visão.

O que o médico faz é dar um diagnóstico, em geral um nome complicado para você ficar tranquilo de que aquilo, pelo menos, tem um nome. Ele receita os famosos óculos para que você consiga enxergar um pouco melhor. Todo mundo diz que é assim mesmo, como uma bateria de celular que vai descarregando...

O oftalmologista diz que você tem que se acostumar... Como se a idade o levasse ladeira abaixo e, a partir daquele momento, sua sina fosse usar óculos para sempre, visitando o mesmo consultório a cada semestre para ajustar o grau. E sua visão vai piorando cada vez mais. Os exames se tornam cada vez mais constantes, assim como as visitas às óticas.

Escolhemos o melhor modelo dos óculos que nos acompanharão, ficamos horas no espelho tentando nos enxergar com aquele artefato e continuamos fazendo as mesmas atividades que fazíamos antes. Acreditamos que os hábitos não influenciaram em nada a saúde dos nossos olhos, e não mudamos uma vírgula da nossa rotina.

"É assim mesmo", todo mundo diz. Como se perder a visão fosse como nascer, crescer e morrer. Natural. O tempo passa, a visão piora. Você olha para o calendário e percebe que até os números estão pequenos demais. O que aconteceu? Será que os óculos ficaram fracos?

A solução parece simples. Voltar ao consultório, dilatar a pupila, refazer os exames e aumentar o grau. A frequência com que isso acontece vai aumentando. Ficamos acostumados com os diagnósticos. Queremos algo palpável. Um nome para aquele desconforto.

Então, percebemos que a falta de nitidez é para perto e para longe. Acreditamos que usar óculos multifocais é comum. Mas eles começam a trazer enjoos, tonturas, e, quando isso acontece, é comum que as pessoas usem diferentes óculos para cada uma das situações.

Carregá-los para todo lado parece sensato, já que você não pode ficar sem enxergar, mas, mesmo assim, o embaçamento da visão continua evoluindo. E os graus vão aumentando.

Muita gente, quando se dá conta disso, resolve fazer uma cirurgia de correção de grau. Ela parece milagrosa, mas corta a córnea e pode trazer complicações ainda piores, como doenças graves na retina. Acredite ou não, o grau volta depois de uns anos. Se você não enxergava de longe, pode até passar a não enxergar de perto.

Os anos vão passando e você percebe que está cada vez mais dependente dos óculos. A palavra "catarata", que parecia estar tão distante da sua realidade, começa a tomar corpo e surgir em rodas de conversa, comum como um resfriado.

As pessoas esperam para ver se a tal catarata avança, e tudo bem se avançar, pois confiam nas cirurgias que substituem as lentes naturais dos olhos por um cristalino artificial. Os remédios prescritos começam a fazer parte da sua rotina e, mesmo com os efeitos colaterais, são bem aceitos...

Aos poucos, a mesma pessoa que fez a cirurgia começa a perceber um embaçamento... e volta a usar óculos. Em outros casos, a cirurgia não funciona. A própria Universidade de Harvard publicou que mais de 30% das pessoas que fazem a cirurgia desenvolvem uma catarata secundária após o procedimento. E estatísticas não mentem.

Então, consequências como glaucoma, aumento de pressão intraocular, descolamento de retina, deformidades na íris, na córnea e sensibilidade à luz começam a pipocar.

Mas o tratamento segue em frente.

Você está em frangalhos, mas acredita que um colírio resolve uma coisa, uma intervenção resolve outra e, a cada ano que passa, vai aumentando a dose dos remédios.

Os olhos começam a ficar constantemente irritados, sensíveis e vermelhos. Um inchaço aparece repentinamente. Descolamento na retina? É resolvido com uma complicadíssima cirurgia que não devolve metade da nitidez visual.

Então, você pode começar a fazer parte da estatística e desenvolve degeneração macular, que acomete mais de 3 milhões de brasileiros com mais de 65 anos.

O prognóstico? O médico irá dizer que nenhum par de óculos ou cirurgia poderá resolver. Pode até ser que ele indique algumas vitaminas ou injeções invasivas, com as seguintes palavras:

"Sinto muito. Você terá que se acostumar com isso. A Medicina tradicional não pode fazer mais nada por você."

Em casos extremos, isso é o que acontece...

60

61

É ruim ver uma página sem conseguir ler, né? Imagine só parar de enxergar.

Imagine não ver o rosto das pessoas que você ama, não poder dirigir, sair na rua à noite, deixar de fazer as atividades que você sempre faz.

Perder a visão tem sido tão comum que as pessoas já nem enxergam mais o tamanho do problema que estamos vivenciando como sociedade. Como humanos. O descaso natural com os olhos traz consequências desastrosas. E pagamos um preço por não cuidar deles.

"Oras, fui ao oftalmologista e ele me deu uma receita de óculos", dizem alguns, acreditando que estão fazendo a coisa certa.

Vou lhe contar uma coisa: durante toda a vida eu também achei que fazia a coisa certa. Meus pais também acreditavam que faziam o melhor. E estávamos tão habituados a ouvir que não existia alternativa que, quando conheci o método, foi algo muito surpreendente e diferente. Sabe quando uma coisa parece boa demais para ser verdade?

Voltar a enxergar, sem dores de cabeça, sem óculos, sem sensibilidade à luz, e saber que eu não teria nenhum desses problemas de volta nem com o passar dos anos, parecia uma solução tão boa que eu mal podia acreditar.

Mas estamos todos habituados a paliativos. Por isso, chamo toda essa jornada de operação tapa-buracos. Sabe quando em vez de consertar a estrada o prefeito vai lá e tapa um buraquinho, e depois aparece outro, e mais outro? É mais ou menos isso que fazemos ao longo da nossa vida: olhamos para os sintomas, usamos medicamentos, e, enquanto os sintomas não incomodam, seja pelo uso de medicamentos, seja através de cirurgias ou óculos, acreditamos que os problemas não estão lá.

Mas eles estão.

Só estão encobertos.

PARE UM POUQUINHO DE LER.

Faça uma massagem no meio da testa e dê pequenos beliscões na pele acima da sobrancelha.

Feche o livro, feche os olhos e respire fundo. Depois, estique-se.

E, quando abrir os olhos, tente ir até a janela mais próxima e olhe lá fora.

Veja tudo que está ao seu redor.

Tome uma água, vá ao banheiro e, depois dessa pausa, retorne ao livro quando desejar.

Faça isso a cada três páginas. E perceba que são cada vez mais raras as pausas na sua vida. E cada vez mais necessárias também.

Infelizmente, as pessoas só dão valor à visão quando a perdem ou quando ela não está mais lá essas coisas...

E lhe digo mais, pode ser que você esteja pensando agora: "Ah, eu não gosto de usar óculos, mas estou bem com eles, eu coloco e consigo enxergar, agora eu tenho outras prioridades na minha vida, não tenho tempo para cuidar dos meus olhos, não... Fulano sim, ele tem um problema grave e precisa de tratamento, eu não".

Ouvir isso é uma das coisas que mais me dói, sabia? Porque eu sei que, mais cedo ou mais tarde, sua visão pode piorar se você não fizer nada, e aí você vai perder muito mais tempo para cuidar depois, sendo que, se você cuidasse agora, seria tãããão mais simples.

Mas eu entendo que, quando somos provocados a enxergar essa dinâmica de uma outra forma, relutamos para acreditar. Eu sei disso porque eu era assim, curiosa, porém relutante. Viciada em procedimentos médicos, estudos, e incapaz de ver o que estava diante dos meus olhos: os resultados.

Sim, os resultados incríveis com o tal método cuja origem era ainda mais impressionante. Vou contá-la agora para vocês.

O médico oftalmologista William Bates, um estudioso dos olhos que, há mais de um século, examinou mais de 30 mil pacientes por ano, foi o responsável pela tal descoberta. E a descoberta era simples demais para ser aceita pela Medicina. Ele dizia que estimular e relaxar os músculos dos olhos era o segredo para uma boa visão.

Como convencer a cúpula médica de que isso podia ser possível?

Mesmo com os resultados visíveis, ele era perseguido. Quem traz a verdade à tona geralmente sofre certas represálias e, acredite, eu sei bem o que é isso. Mas ele estava convicto de que sua descoberta tinha fundamento. Primeiro, tinha curado a si mesmo de presbiopia, a chamada vista cansada, e, depois, continuava melhorando a visão de muitos pacientes atendidos por ele.

Quando introduziu o método no sistema escolar de Nova Jersey, percebeu que tudo fazia ainda mais sentido: reduzindo em mais de 70% os índices de miopia no primeiro ano, ele via pessoas voltando a enxergar e comemorava. Mas era perseguido pela Medicina tradicional, que não queria enxergar resultados tão nítidos.

No dia em que aceitei enxergar que Bates trazia algo que efetivamente poderia mudar a minha vida e a de muitas pessoas, entendi o quão difícil tinha sido para ele, sozinho, trilhar um caminho que ia contra o senso comum. Um caminho que desafiava aquilo que todo mundo dizia ser o certo. Um caminho que jogava luz sobre temas obscuros, indo contra interesses inconfessáveis. E não estou falando de pequenos interesses.

Pode ser que, em outras áreas do seu dia a dia, você já tenha topado com a medicalização da vida. Ela acontece quando tentamos disfarçar os problemas em vez de buscar a cura. Sem sintomas, o incômodo passa, mas o que precisa ser tratado continua lá, e as proporções vão aumentando, mesmo que tentemos ignorar os fatos que parecem estar escancarados diante de nossos olhos.

Talvez você só esteja lendo esse livro porque alguém lhe disse que seria bom. Talvez esteja perdendo a visão ou não esteja enxergando tão bem quanto antes. Talvez alguém tenha dito a você que é normal perder a visão porque com a sua mãe também foi assim. Ou porque seus familiares usam óculos ou porque você passou de certa idade. Mas eu posso afirmar que a saúde dos seus olhos é responsabilidade sua. E, se você perder a visão gradativamente, isso não vai acontecer somente por conta de qualquer fator externo incontrolável. A falta de informação sobre os cuidados com os olhos, ou mesmo a informação que te deixa refém de profissionais, faz crescer a incidência de problemas visuais, gerando uma epidemia de cegueira – em todos os sentidos. As pessoas estão cegas para algo que está diante de seus olhos: estamos delegando nossa saúde a outros ao invés de nos empoderarmos dela. Deveríamos conhecer nosso corpo e seus mecanismos, gerar saúde ao invés de buscar paliativos quando ficamos doentes. Em vez disso, buscamos profissionais específicos para cada canto do corpo, como se o corpo humano não fosse um sistema interligado.

No meu processo, logo que passei a praticar o método percebi que às vezes bastava um relaxamento da mandíbula ou do quadril para aliviar uma dor acima dos olhos. Muitas tensões acumuladas me deixavam quase incomunicável de tanta dor. E, quando também consegui entender como cada emoção influenciava o processo, pude ver com nitidez as causas e os efeitos. Entendi certas expressões populares, como o "cego de raiva".

Você já deve ter ouvido esse termo, e ele é real. Nossa visão pode ser comprometida – e muito – pelas emoções que sentimos.

Além disso, enxergar mal tornou-se a nova epidemia mundial. Você sabia que a cada cinco segundos uma pessoa fica cega no mundo? Sim, e a cada minuto uma criança perde a visão. E somos levados a acreditar que isso é normal. São 285 milhões de pessoas no mundo vivendo com baixa visão ou cegueira, sendo que só no Brasil temos 35 milhões de pessoas convivendo com toda sorte de problemas visuais, dentre as quais 19% não enxergam bem mesmo com óculos ou lentes de contato.

Há sessenta anos, apenas 15% da população da China sofria de miopia. Hoje, 90% dos adolescentes e adultos sofrem da doença naquele país. Metade dos norte-americanos também estão na estatística. Segundo estimativas da revista *Nature*, cerca de 2 bilhões e meio de pessoas podem se tornar míopes nos próximos dez anos.

Diante disso, eu não conseguia fechar os olhos. Era como se uma missão gritasse em meu peito. Eu sentia a necessidade de compartilhar esse conteúdo capaz de reverter esse quadro. Não podemos ficar de braços cruzados diante desses dados, sabendo o que pode ser feito. Isso é o que me move e me dá forças para continuar. Mesmo quando atendia apenas seis pessoas voluntariamente no Parque Villa-Lobos em São Paulo, sabia que era questão de tempo para que outros começassem a enxergar os resultados. Não iria adiantar tentar doutrinar ninguém ou convencer. Aquilo precisava ser constatado pelos olhos de cada um. Saúde visual é coisa séria. Não dá para fingir que não estamos vendo esses números alarmantes. Temos que dar um basta nessa história de que cedo ou tarde todos perderemos a visão, de que isso faz parte da vida ou da idade.

Porque não faz.

Chega de tapar buracos.

Massacramos nossos olhos diariamente – o tempo todo. E como não fomos educados para cuidar deles da forma correta, vamos reproduzindo as mesmas informações e mitos, que são assimilados como verdades pelos nossos filhos, que, conforme crescem, acham que não existe saída e que, fatalmente, herdarão nossos problemas visuais.

A pergunta é: você já parou para pensar que os olhos têm músculos e eles precisam ser exercitados? Como eles irão funcionar se só olhamos para perto e fugimos de luzes naturais? Se não olhamos longe, passamos a maior parte do tempo dentro de lugares fechados e sob luz artificial e ar condicionado.

Vivemos tempos em que as noites acabam ficando mais claras que os dias. Temos luzes que surgem de todos os lados, inclusive dos aparelhos eletrônicos que não são desligados nem mesmo nos momentos de descanso.

Enquanto usamos computadores e aparelhos celulares, sequer piscamos ou bebemos água. Ignoramos tudo que se passa ao nosso redor e ficamos cada vez mais aficionados às telas de celulares, mesmo quando não estamos trabalhando. Você consegue visualizar para onde estamos caminhando? Uma vez me disseram que seríamos devorados numa selva em meio minuto por causa da nossa mania de sempre olhar para uma tela de celular. Nossos antepassados, que sabiam usar a visão periférica e enxergavam todo o campo visual, tinham visão noturna e visão de detalhes, sabiam como sobreviver em qualquer condição.

Cada vez mais cedo, crianças e adolescentes estão precisando de óculos. Cada vez mais cedo, adultos sentem que estão perdendo a visão com rapidez. E continuamos maltratando nossos olhos, culpando a genética e acreditando que aumentar o grau a cada ano é normal.

Estamos submetendo nossos olhos a um esforço sobrenatural. Estamos literalmente mudando o formato deles, criando a necessidade de usar óculos, enfraquecendo a lente interna que nos dá foco, matando a nossa visão periférica, causando sobrecarga à visão central e aumentando a diferença de visão entre os dois olhos, tornando sempre um mais fraco que o outro, quando ambos deveriam trabalhar juntos.

Essa tensão eu já sentia na pele quando conheci o método e percebi o quanto estava fazendo mal a mim mesma. Percebi também como era simples reverter esse quadro.

Não é necessário fugir para as montanhas e se isolar da luz elétrica, das telas e do mundo para resolver essa questão. Sabemos que a vida moderna traz tecnologias que são essenciais, mas temos que saber como incorporá-las ao nosso dia a dia sem que elas nos prejudiquem.

A verdade é que dá para continuar usando computador, lendo livros, trabalhando, fazendo suas atividades sem causar nenhum dano a si mesmo. E a melhor notícia é que é possível não só melhorar, como também reverter os problemas que criamos para nós mesmos.

Devemos, em primeiro lugar, tentar enxergar como tudo funciona dentro da gente. Por que o método de melhora natural da visão funciona bem? Porque passamos a incorporar novos hábitos em nossa rotina. Hábitos que podem fortalecer cada estrutura dos olhos, fazendo com que possamos enxergar melhor a cada dia, mesmo que usemos o celular, o computador e vivamos uma vida chamada de "moderna", com seus benefícios e malefícios.

Já estive com pessoas cujos problemas de visão eram considerados progressivos, genéticos ou incuráveis. Elas não tinham qualquer esperança de melhora.

Milhares de pessoas que, depois que passaram a fazer os exercícios, foram recuperando a visão, de longe ou de perto, e não precisaram fazer cirurgias.

Uma das minhas alunas, Edith Carvalho, que tinha a data marcada para a cirurgia de catarata, foi surpreendida pelo médico, que comprovou através do exame que o problema não existia mais. Isso aconteceu depois de um período de exercícios que trouxe a ela não só uma melhora na visão, mas também um resgate da confiança no próprio corpo e em seus processos naturais. Ela percebeu que, por muito tempo, delegamos nossa saúde a outros e que todos temos a chave para reequilibrar nosso próprio organismo.

Todos temos. O que precisamos é pegar essa chave de volta.

Sem catarata e enxergando, a Edith inspirou outros milhares de alunos e alunas, gravando um depoimento em vídeo para mostrar para quem quisesse ver que aquilo era possível. E foi a partir desses vídeos espontâneos que os casos começaram a crescer. E, mesmo que depois de um tempo receber um vídeo desses tenha passado a ser corriqueiro e comum, eu nunca deixava de me emocionar e chorar quando via alguém contando sua vitória pessoal.

Então, progressivamente, os casos começaram a se espalhar, já que cada pessoa tinha um amigo com o mesmo problema. Dessa forma, o método ia se disseminando com rapidez. Alguns, mesmo céticos, davam o voto de confiança a quem dizia a eles, olhando nos olhos, sem qualquer lente, que tinha melhorado com o método.

Somos tão condicionados a acreditar que é impossível termos o controle dos processos de nosso corpo que, quando percebemos que temos esse poder, ficamos com medo de acioná-lo. E, quando o problema está instalado há muito tempo, sequer damos a nós mesmos oportunidade de tentar.

Felizmente, alguns acabam tentando.

Mesmo pessoas com doenças graves, como ceratocone, conseguiram voltar a ler e trabalhar sem problemas. Tudo o que precisa ser feito é colocar em prática as técnicas de relaxamento e fortalecimento dos olhos.

Alguns alunos, como a Sra. Fusako, tinham tanta determinação que conseguiam resolver o problema da visão dupla em menos de uma hora. Outros, disciplinados como Gilson, zeraram o grau de hipermetropia e astigmatismo com alguns meses de prática. Essas pessoas, que só se dão por convencidas quando retornam ao oftalmologista e refazem os exames, acabam usando o laudo para comprovar que o método funcionou.

Até a perda gerada pelo glaucoma pode ser recuperada. Foi o que percebi quando estava diante de Eliana. Ela tinha um campo visual comprometido, cheio de pontos pretos, e, depois de alguns meses de estimulação, seus exames de campimetria mostraram uma melhora significativa.

Depois de todos esses casos, talvez você ainda não esteja convencido de que o método possa funcionar. Talvez você teste. Talvez não. Mas o segredo é experimentar.

Você pode ser a pessoa que está começando a desenvolver um problema grave que pode ser evitado. Vamos quebrar esse ciclo no qual estamos presos como se tivéssemos sido algemados?

Neste link você pode ter acesso a depoimentos de alunos que voltaram a enxergar: http://bit.ly/casosreais.

Quanto mais eu vejo alunos comprovando a eficácia do método, mais convencida fico de que os exercícios podem ser eficazes para todos os problemas de visão.

Veja se você conhece um desses:

- Miopia
- Hipermetropia
- Presbiopia
- Astigmatismo
- Estrabismo
- Catarata
- Glaucoma
- Problemas com o nervo óptico
- Descolamento da retina
- Olhos secos
- Pterígio
- Degeneração macular
- Membrana epirretiniana
- Retinose pigmentar
- Visão dupla
- Nistagmo
- Descolamento de vítreo
- Retinopatia diabética
- Ptose e espasmo palpebral
- Blefarite
- Toxoplasmose
- Lesões pós-AVC
- Distrofia de Fuchs
- Uveíte
- Doença de Stargardt
- Albinismo
- Síndromes raras

Já deu aquela pausa básica para respirar, relaxar os músculos, dar uma olhada na janela?

A hora é agora. Fecha o livro e vai dar uma voltinha.

Daqui a pouco nos vemos novamente!

No próximo capítulo, te explico um pouco melhor como funciona a estrutura dos seus olhos e por que eles melhoram com simples estímulos.

Deixe de usar as muletas!

Você pode enxergar sem óculos.

Que tal se empoderar do seu processo e chegar aos oitenta enxergando melhor que aos vinte? E de forma natural. Quer coisa melhor?

A REVOLUÇÃO NECESSÁRIA

Levando seus olhos para a academia

> **"Talvez seja a hora de compreendermos que nosso conhecer intuitivo antecedeu nossas descobertas científicas.**
> **Será que não estamos, na verdade, utilizando o método científico para comprovar o que já sabemos?"**
>
> **JACOB LIBERMAN,**
> *LUZ, A MEDICINA DO FUTURO*

A partir de agora, você pode escolher se quer continuar tratando seus olhos de qualquer jeito, se quer entrar para a estatística de perda de visão, ou se pretende colocar o método em prática.

Simples assim. É sua escolha.

O método funciona. E sabe por quê?

Porque ele trabalha com tudo o que tem dentro dos seus olhos. Estruturas, músculos, nervos, vasos sanguíneos, agindo na causa do problema, em vez de ficar tapando buraco.

A grande verdade é que menos de 1% das pessoas nascem com problemas de visão. E, provavelmente, você não nasceu precisando usar óculos. Você possivelmente nunca conheceu de perto a maravilha que são seus olhos, suas funções, estruturas, e nem imagina o que nos faz perder a visão.

O que me espanta é que muitos de nós delegam o atendimento ao oftalmologista como se os olhos não fizessem parte do corpo, ignorando os músculos, terminações nervosas, vasos sanguíneos e líquidos contidos neles.

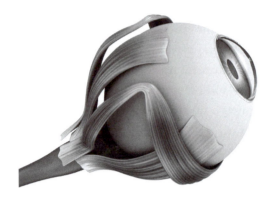

Este é seu globo ocular. E sabe o que faz você olhar para cada um dos lados? Os músculos.

Sabe quando você levanta um saco de arroz com o braço e sente o bíceps trabalhando? Pois é, ele está contraindo e relaxando. Com os olhos é a mesma coisa. É a contração e o relaxamento dos músculos externos oculares que permite o movimento dos olhos. A composição muscular é a mesma, tanto no braço quanto ao redor dos olhos.

Sabe o que também é músculo dentro dos seus olhos? A parte colorida, chamada íris. Ela abre e fecha a sua pupila (a "menina dos olhos"). Só que essa musculatura você não pode controlar: o que a faz se movimentar é nada mais nada menos do que a intensidade da luz. Quando está claro, a luz faz a íris fechar a pupila. Quando está escuro, a faz dilatar. É assim que ela abre e fecha, num movimento sincronizado.

Olhar perto e longe também depende da musculatura. Sim, mais um músculo, o ciliar. E o cristalino, a lente interna dos seus olhos, é preso e movido por esses músculos ciliares. Ele converge, enruga, quando você olha para perto para te dar foco, na leitura, e alonga quando você olha para longe.

Então, focar perto ou longe também é um ato controlado por músculos.

Existem outras estruturas na retina, como os vasos sanguíneos e o nervo óptico, que se ramificam por toda essa estrutura. Diante disso, responda-me: como você usa esses músculos no seu dia a dia? Será que você está fazendo bom uso dos músculos dos olhos? Será que você não é um sedentário visual?

Não lhe parece óbvio que, se os olhos têm a mesma estrutura do corpo, então eles também podem se fortalecer, alongar, contrair, relaxar, piorar e melhorar?

Começa a fazer todo o sentido, porque se você pode deixar o corpo mais firme fazendo musculação, também pode deixar a sua visão melhor exercitando os olhos.

Você pode levar seus olhos para a academia e deixá-los mais fortes. E sabe o que é melhor ainda? Você pode fazê-lo mesmo que não tenha muito tempo livre, mesmo com uma rotina apertada, pois os exercícios visuais são simples de serem encaixados no dia a dia.

Malhar os olhos é possível, e também a mente...

O que você está vendo agora?

Você vai fechar este livro e dizer o que está vendo agora.

Quando voltar, vamos conversar.

Olhou ao seu redor? O que você viu?

Se eu te disser, agora, que 90% do que você viu não são seus olhos que viram, você acreditaria em mim?

Se eu te disser que seus olhos são apenas a porta de entrada de informações que são decodificadas e interpretadas pelo seu cérebro, você acreditaria? É a sua mente que faz todas as conexões, o que pode levar uma mesma imagem a ter duas interpretações completamente diferentes.

Logo, se dissermos que cada um pode ver a vida de uma determinada maneira, estamos fazendo uma afirmação correta. Mesmo que essas pessoas estiverem na mesma sala, diante dos mesmos elementos, cada uma delas estará enxergando à sua própria maneira.

Então, quando não estamos enxergando direito, existe uma razão muito mais profunda. O problema não está somente na estrutura dos olhos em si. Podem ser suas emoções ou, até mesmo, sua mente nublada. Existe uma série de fatores que podem interferir na visão. Vamos falar deles mais adiante, não se preocupe.

O que quero saber, agora, é como você está enxergando. Como o seu cérebro está coordenando esse processo?

Para você ter uma ideia, quem coordena esse processo dentro do seu cérebro é o córtex occipital, que não fica na frente da cabeça, e sim na nuca. Isso quer dizer que toda imagem que seus olhos captam percorre o cérebro inteiro através do nervo óptico até ser processada atrás da cabeça.

É ali que são feitas todas as conexões. São 1 milhão de fibras, e elas percorrem muitos caminhos pela sua mente.

Imagine que em uma fração de segundo toda essa mágica está acontecendo dentro de você agora, a cada letra que você lê neste livro, a cada cena que você olha ao redor. E você pode influenciar este processo de inúmeras formas.

Uma das mais conhecidas é a visualização.

Talvez você nem sonhe com isso, mas grandes atletas, entre eles Ayrton Senna, sempre trabalharam o domínio mental antes mesmo de trabalhar o corpo. Para ele, por exemplo, a grande chave que o levava ao pódio era conseguir visualizar o trajeto e a vitória antes que ela acontecesse. Era através da mente que ele fazia os percursos antes de começar os treinos. E, através do controle dela, ele conseguia o que queria, com determinação.

Se duvida do poder de sua mente, experimente imaginar algo que ama comer. Aquela comida que sua mãe preparava quando você era pequeno. Tente fechar os olhos e se lembrar dela. Em poucos segundos, suas glândulas gustativas entrarão em processo de salivação. É com água na boca que você vai ter vontade de comer aquele prato novamente e poderá, com concentração, sentir inclusive o seu cheiro.

Isso ocorre porque o nosso cérebro não consegue diferenciar se o que pensamos está realmente acontecendo ou se é uma imagem criada pela nossa mente. Por isso, uma imagem mental causa reações físicas. É através do pensamento que você cria imagens.

Nadadores como Michael Phelps, que conquistou múltiplas medalhas de ouro, são unânimes em compartilhar que suas vitórias só foram possíveis graças a técnicas de meditação que incluem a visualização. Quando pensamos em algo, nosso corpo se prepara para que aquilo aconteça. Logo, suas células estão prontas para a atividade antes mesmo de ela começar.

Da mesma forma, quando imaginamos uma cena que nos causa medo, o corpo também traz uma descarga de adrenalina, que promove tensão e nos deixa em estado de alerta.

Então, é claro que, se estes processos estão tão interligados, é inevitável que utilizemos técnicas parecidas para melhorar a visão. Mesmo exercícios simples, como fechar os olhos e imaginar as letras maiores e mais nítidas, podem surtir efeitos incríveis.

O cérebro acaba ativando partes dos olhos e da mente para que aquilo realmente aconteça. Essa ativação faz com que aquilo aconteça na prática. Já fui testemunha de inúmeros casos em que, em palestras, após as visualizações, pessoas passaram a enxergar melhor. E isso aconteceu em alguns minutos.

Não é milagre ou esoterismo. É pura estimulação neurológica mesmo.

Além da visualização, existem diferentes práticas que podem colaborar com a melhora da sua visão. Falaremos delas mais adiante no livro.

Através de uma simples sequência que consiste em:

- Consciência Plena
- Relaxamento Ativo
- Equilíbrio das partes
- Estímulo Seletivo
- Visão Modo Águia Automático

Você naturalmente incorpora uma visão mais apurada em sua vida.

Vou falar aqui de uma das etapas da sequência, o Estímulo Seletivo.

Você pode até pular esta etapa e ainda ter resultados muito bons, ou seja, se você seguir a sequência passando pela consciência, pelo relaxamento e parando no equilíbrio, já vai enxergar melhor, mas se você avançar e usar o Estímulo Seletivo certo, vai potencializar muito seus resultados.

Eu chamo de "seletivo" porque não basta estimular: o seu cérebro não aceita qualquer estímulo e nem de maneira exagerada. Pense que o sistema que recebe os estímulos dos seus olhos é um porteiro exigente na guarita de um prédio. Se você tentar entrar com cinquenta pessoas de uma vez só pela porta, ele vai barrar todo mundo. É bater e voltar, sem sucesso. Mas se você relaxar o porteiro, conversando com ele, e com calma colocar uma pessoa de cada vez pela porta, já, já todo mundo estará dentro do prédio.

O estímulo precisa ser dosado e no momento certo.

Este tipo de estimulação faz com que partes da visão que estão inativas, mas não perdidas, voltem à vida. Existem milhares de células, ali, no meio daquelas que se foram, ávidas por um estímulo.

São mais de 270 milhões de células só na sua retina. Você tem mais dessas células nos seus olhos do que o número de habitantes no Brasil. E é por isso que na maioria das vezes não são todas essas células que estão lesionadas. Você consegue o que quiser, basta estimular de forma seletiva.

Por isso recuperamos o campo visual após lesão por glaucoma ou descolamento de retina, ou ainda a visão central na degeneração macular e outras doenças, porque tudo pode ser estimulado. Na minha experiência de mais de uma década trabalhando com este método, a visão volta em 90% dos casos, mesmo já tendo sido dada como perdida pelos médicos. Como aconteceu com a Dona Margarida Correia, de quem falamos no capítulo anterior. Ela era considerada cega, foi desacreditada pela Medicina e voltou a enxergar. Não ocorreu um milagre, houve apenas uma simples estimulação correta e equilibrada.

Nesta categoria de Estímulo Seletivo estão também os exercícios com a Tabela Visual, que são fantásticos para dar o toque final da nitidez de longe e diminuir o grau.

Uma outra coisa importante de você saber sobre o seu cérebro é que ele tem a tendência de seguir a "lei do menor esforço", isto é, ao invés de insistir em enviar visão para o olho mais fraco, ele prefere o caminho que funciona melhor. Então, ele manda muito mais estímulo para o olho mais forte, o que com o passar do tempo faz com que o olho mais forte fique cansado, estressado, e perca nitidez.

Os exercícios fazem o cérebro estimular o olho mais fraco ao mesmo tempo que relaxam o olho mais forte. Você pode começar cobrindo com a mão o olho mais forte e olhando longe com o mais fraco, sem óculos, alguns minutos por dia. Cubra com a mão, sem apertar, ou com um tampão, e faça atividades relaxantes, lembrando-se do porteiro exigente. Não adianta estimular o olho mais forte com milhares de luzes e impulsos exagerados, forçando na leitura e ficando com tampão o dia inteiro.

Muitas terapias, principalmente em crianças, fazem com que elas utilizem o tampão o dia inteirinho, e alguns profissionais ainda orientam a ficar vendo televisão com ele. É um verdadeiro desastre que estressa a criança e a família, sem gerar resultados. Eu sei muito bem o que é isso, porque eu fui uma dessas crianças.

Com o Estímulo Seletivo, é possível se recuperar da ambliopia, ou olho preguiçoso. Eu já presenciei muitos casos de melhora, e também publiquei um estudo de caso científico na Revista de Terapia Ocupacional da Universidade Federal de São Carlos, em que o exame oftalmológico antes e depois verificou a melhora visual da Júlia, de 6 anos, e ela então deixou de ter ambliopia.

Tudo muito tranquilo, com brincadeiras e jogos visuais que utilizavam essa sequência, incluindo a etapa fantástica do Estímulo Seletivo.

Se eu te disser que seus olhos
são apenas a porta de entrada
de informações que são
decodificadas e interpretadas
pelo seu cérebro, você acreditaria?

É a sua mente que faz todas
as conexões, o que pode levar
uma mesma imagem a ter duas
interpretações completamente
diferentes

MITOS E VERDADES SOBRE OS OLHOS

Tem coisas que se espalham e a gente nunca sabe de onde vieram. Às vezes, começa em forma de piada, ou devido a um comentário de alguém que ignora o assunto e reproduz aquilo para tentar responder o que não sabe. O fato é que, quando se fala de visão, temos inúmeros mitos que são reproduzidos sem que as pessoas questionem se trata-se de grandes mentiras ou absurdos incontestáveis.

Como trabalho com a saúde dos olhos, sempre ouço muita coisa. Ouvir que a avó dizia que comer formiga fazia bem para os olhos, por exemplo, é clássico. Eu imagino que deva ter começado lá na cozinha da Dona Rosa, que, com seus 86 anos, e sem enxergar direito, precisava dar uma resposta para a netinha de oito anos, que pegava o açúcar e questionava: "Vovó, tem algumas formigas aqui no açúcar". A avó, sem saber o que responder, porque simplesmente não a via, não quis dar o braço a torcer e disse: "Ah, não tem problema". A menina, inquieta, deve ter perguntado: "Mas, vovó, a senhora vai comer formigas?". E a avó, esperta, safou-se ao dizer: "Ah, formiga faz bem aos olhos".

Pronto. É mais ou menos assim que começa um mito.

Alguém acredita em algo que não tem nenhum fundamento e reproduz aquilo como se fosse verdade. Assim, como num telefone sem fio completamente maluco, os mitos são propagados.

Até hoje, quando me perguntam se assistir à televisão de perto faz perder a visão, tento entender a lógica da pergunta. Afinal, se a pessoa está assistindo de perto, não é justamente porque ela já tem um problema de visão?

Muitas mães, na tentativa de não errar com as crianças, inventam coisas que não trazem nenhum benefício. E ao mesmo tempo que vemos um avanço tecnológico que aparentemente nos beneficia, percebemos um avanço incontestável dos problemas visuais. Cada vez mais se enxerga menos. O bom é que, com nosso método, independentemente do tipo ou grau do problema, podemos melhorá-lo de alguma forma.

Muita gente usa óculos por qualquer motivo. Outros têm doenças consideradas incuráveis. Mas existem tantos mitos acerca do tema que é fundamental que esclareçamos alguns pontos para que ninguém mais saia por aí falando bobagem. Será que depois dos quarenta todo mundo tem que usar óculos? A idade é causadora dos problemas visuais? Todos os problemas são causados pela genética? Óculos de sol protegem do sol? Aparelho eletrônico faz mal à saúde dos olhos? Será que tudo isso é verdade ou mito?

E, antes que eu me esqueça: sim, cenoura faz bem. Tanto para os olhos quanto para o seu organismo, tá?

O MAIOR DOS MITOS

Depois dos 40 anos todo mundo vai ter que usar óculos e a idade é a causa dos problemas visuais

Para, que eu quero descer!

Não dá mais para continuar falando isso em *looping*, pessoal! A idade não faz ninguém enxergar menos. O que faz você enxergar menos são seus maus hábitos.

A vida moderna, com salas fechadas, sobrecarrega a visão de perto. Dormir em quarto claro, não descansar os olhos, ficar no celular, no computador, no livro, na televisão... tudo isso sobrecarrega os músculos oculares. Cada hábito ruim faz com que sua íris e seu cristalino fiquem mais e mais sobrecarregados. O resultado é óbvio: depois de anos de maus hábitos, os olhos pagam o preço.

É que nem fumar a vida toda e reclamar, no final, que o pulmão não está bom. E jogar na idade a culpa do mau funcionamento dele. Maltratamos nosso corpo diariamente e colhemos aquilo que plantamos. A verdade é que quem pratica exercícios visuais não precisará de óculos. Simples assim. Nem aos cinquenta, sessenta ou setenta anos. Essa pessoa enxergará bem para o resto de sua vida.

O que temos que entender é que o envelhecimento não está ligado ao adoecimento. Tenho alunas de oitenta anos que se orgulham de poder ler as letras pequenas da Bíblia sem o auxílio de óculos. Ou o Gilson, que simplesmente zerou o astigmatismo e diminuiu o grau para perto em apenas três meses de exercícios.

Ouço muita gente, em bate-papo de esquina, falar que é normal ter catarata depois de certa idade. E não consigo me conformar com as pessoas aceitarem que isso é um fato consumado.

O corpo humano, em sua sabedoria infinita, traz mecanismos que você nem imagina para capacitar seus músculos a trabalharem do melhor jeito possível. Somos nós que, preguiçosamente, vivemos uma vida que não dá condições nem mesmo de os olhos se movimentarem.

Se a epidemia de obesidade no mundo é real, principalmente porque sedentarismo e maus hábitos alimentares tornaram-se comuns, imagine só o que somos capazes de fazer com os nossos olhos.

Da primeira vez que expliquei que catarata pode ser evitada, pude notar os olhares de espanto. Expliquei que o cristalino pode ser movimentado pelos músculos ciliares se pudermos alternar constantemente nosso olhar para perto e para longe, piscando suavemente.

Aliás, você está piscando agora? Está concentrado no livro, mas está consciente dos movimentos involuntários do seu corpo? Muitas vezes, essa inconsciência nos faz esquecer em absoluto que podemos proporcionar mais saúde ao nosso organismo, em todos os níveis.

É como a história de tomar água só quando está com sede. Muita gente não se dá conta, mas quando vamos envelhecendo, vamos ingerindo menos água e tendo menos sede, e muitos idosos sofrem com desidratação severa simplesmente porque nunca estiveram conscientes do que o organismo pedia.

Por isso, se você sabe que exercícios para os olhos podem fazer que você não tenha catarata ou qualquer doença ocular, é melhor começar a fazer já.

Na conclusão do relatório o médico oftalmologista atestou Exame Oftalmológico Normal em AO (ambos os olhos).

CENTRO MÉDICO
Clínica e cirurgia de olhos

Relatório.

Paciente Sonia Wartemann, maior apresenta acuidade visual

= 1.0 d/c
  1.0 c

Po = 15/15 mm Hg

Refr: OD = -3,00 DE   AD = +2,00
      OE = -1,00 -0,25 x 70

Biomicroscopia = Normal AO
Fo = Polo post normal AO

→ Conclusão: Exame oftalmológico normal AO

d/11/16

Quando digo isso, muitos duvidam. Só que contra fatos não há argumentos. Por isso tenho tantos pacientes e alunos que se empenham em gravar depoimentos para comprovar os resultados.

A Dodora e a Sonia, alunas que tinham a guia médica para marcar a cirurgia de catarata, surpreenderam até os mais céticos quando, depois dos exercícios, viram a catarata desaparecer.

Sei que é difícil acreditar, mas tenho alunos com mais de noventa anos que voltaram a enxergar, ler, dirigir e se empoderaram de suas vidas, deixando para trás as histórias que contaram para eles.

Eles literalmente reescrevem a própria história e as deixam de herança para que os netos reproduzam novas verdades.

MITO 2

O médico sabe mais de você do que você mesmo

Zzzzz....

Nada contra médicos, pelo contrário.

Só que vamos ao ponto-chave da questão: quantos de nós não delegam ao médico a nossa vida, por acreditar naquilo que ele diz, mesmo quando pensamos que ele não está certo? Quem consegue contrariar um médico?

Todos nós crescemos achando que os médicos entendem do nosso corpo mais do que nós mesmos.

Mesmo que saibamos que, quando dormimos naquela posição, sentimos aquela dor nas costas terrível, vamos ao médico e, se ele nos diz que pode ser algo perigoso nos rins, concordamos. Você conhece seu corpo, mas se apavora. A palavra dele tem um peso maior. Por ser médico, é como se ele soubesse mais do seu corpo do que você.

Hoje as estatísticas mostram o número alarmante de exames absolutamente inúteis que são prescritos para que as pessoas procurem problemas que não existem. É a cultura da medicalização e da prevenção. Ela faz com que, mesmo que o médico não olhe na cara do paciente nem faça ao menos uma pergunta, assine um pedido para que seja feito um exame qualquer.

Médicos são excelentes profissionais. Mas não ache que eles saberão mais do seu corpo do que você mesmo. Não acredite que outra pessoa pode resolver seus problemas, enquanto você acata as regras e lhes obedece.

Quando tivermos mais responsabilidade sobre nossas próprias vidas teremos mais consciência de como funciona a autocura. Muita gente sai do oftalmologista perdido, sem ter a chance de opinar acerca de um procedimento, medicamento ou coisa qualquer. Comandar o próprio corpo é vital para qualquer ser humano. Não podemos mais ser meros pacientes e esperar que outras pessoas resolvam nossos problemas.

Costumo dizer que um leão jamais vai te ensinar a voar. O seu médico pode ser um leão – ótimo em procedimentos. Mas, se ele não entender de tratamentos naturais ou nunca tiver ouvido falar de exercícios, esqueça!

Pois tudo muda quando viramos protagonistas da nossa própria história. Muitos alunos, vibrantes e fascinados pelo método que os fazia enxergar cada dia mais, não continham a empolgação diante de seus oftalmologistas, que, surpresos com a significativa e visível mudança, ficaram interessados em conhecer o método.

Quando deixamos de delegar nosso corpo a outros e passamos a ter domínio sobre ele, o que acontece é quase mágico: ganhamos autonomia e passamos a nos conhecer melhor. E o resultado é irreversível. Entendendo que temos tudo de que precisamos dentro de nós, que o mecanismo é perfeito e que nossos maus hábitos é que são extremamente nocivos à nossa saúde, passamos a vigiar a nós mesmos e agir com uma consciência maior.

O ideal seria que os oftalmologistas se interessassem pelo método e pudéssemos unir os tratamentos. Para mim, essa é a Medicina do futuro. Muitos profissionais já estão interessados nesse tipo de tratamento porque perceberam a efetividade e a coerência do método. Já cuidei, inclusive, de alguns médicos, suas esposas e filhos.

Quando passamos a focar a saúde, o que acontece é que procuramos profissionais que possam nos ajudar a perceber nossos níveis de saúde, e não buscar patologias. Quando temos a oportunidade de saber mais sobre métodos naturais e damos aos médicos acesso a essas informações, eles podem ser aliados que verificam o que está melhorando, e não o que está piorando.

Esse é o pulo do gato, porque assim passamos a trabalhar em conjunto.

MITO 3

A genética é responsável pelos problemas visuais e doenças progressivas são incuráveis

Já entrevistei dezenas de pessoas que retomaram a visão mesmo com doenças consideradas incuráveis e progressivas. Por isso, posso dizer com todas as letras que se trata de mais um mito – um daqueles mitos que a gente repete o tempo todo sem se preocupar se é verdadeiro ou não.

A genética não é culpada pelos problemas visuais. Entenda isso.

Um estudo da BBC descobriu que somente 10% da causa da miopia é genética. Outros 90% acontecem por conta do ambiente inapropriado em que passamos boa parte do dia. Quer mais? Quando não nos expomos ao ar livre, estamos causando nossa própria miopia.

E estamos cegos para isso. Cegos para enxergar o óbvio.

A maneira como somos educados desde a infância está fazendo com que esse problema piore cada vez mais. Hoje, vemos um mar de óculos nas salas de aula. Não dá para ignorar o fato de que o número de crianças com problemas de visão aumentou significativamente. Já vi melhoras incríveis em casos de retinose pigmentar, ceratocone, Doença de Stargardt, membrana epirretiniana, casos de degeneração macular e problemas no nervo óptico.

O que acontece é que, quando estimulamos os olhos e os relaxamos, as células inativas voltam a funcionar com o estímulo correto. É tão simples que parece milagroso. Mas quem faz o milagre é o próprio aluno, que coloca sua capacidade natural de se regenerar em ação.

Se usamos o fortalecimento correto, mudamos alguns detalhes do ambiente e nos adequamos a hábitos mais saudáveis de visão. Assim, mesmo com nossa vida moderna, conseguimos resolver problemas visuais que pareciam impossíveis de serem resolvidos.

Dica de ouro:

Mesmo com a vida corrida, dê pausas.

Dê uma pausa agora, por exemplo, e tente fazer disso um hábito.

A cada cinquenta minutos de leitura, celular ou televisão, pare por dez minutos. Simplesmente pare e encaixe algum exercício de relaxamento que você verá mais adiante.

Uma coisa que você pode fazer agora mesmo é girar os olhos abertos e piscar algumas vezes para cada direção.

Tente identificar a sensação. É difícil fazer o movimento?

Não force nada. Tente fazer suavemente.

Agora faça o mesmo movimento com os olhos fechados, mas tente fazer que o giro seja mais amplo. Isso vai relaxando os músculos.

Quando abrir, gire mais uma vez os olhos abertos e verá que fica mais fácil e leve. Ou melhor, mais solto.

Desta forma você vai começar a perceber que os olhos respondem bem rápido aos estímulos que damos a eles.

Em apenas alguns dias de exercícios visuais você já vai sentir alívio nas tensões ao redor dos olhos.

Mesmo uma pessoa que tem uma vida corrida pode aplicar o sistema Olhos de Águia.

MITO 4

O sol causa problemas visuais e é perigoso para seus olhos

Essa é uma das mentiras que cegam. Um mito grave e que deve ser combatido com todas as suas forças.

Sol é vida.

Esconder-se dele ou usar óculos escuros com a intenção de se proteger do sol é um dos maiores causadores de problemas de visão no mundo atualmente.

Os benefícios da luz solar e de passar mais tempo ao ar livre para os olhos são incontestáveis.

Para você ter uma ideia, uma equipe de pesquisadores australianos recentemente revisou os principais estudos relacionando crianças, miopia e o tempo passado ao ar livre desde 1993. Eles descobriram que, em mais de uma dúzia de estudos, analisando mais de 16 mil crianças em idade escolar no total, as mais propensas a serem míopes ou desenvolverem miopia eram as que passavam menos tempo ao ar livre.

Alguns dos estudos posteriores também descobriram que ficar ao ar livre protege até mesmo as crianças que leem muito ou têm pais míopes.

Isso acontece porque a luz do sol nutre os olhos. Ela contém todas as cores e estimula a fixação de vitamina D, responsável pela saúde do cérebro e do sistema imunológico, que ajuda a regular a saúde dos olhos.

O sol também estimula a liberação de dopamina nos olhos, o que os faz manter seu tamanho normal, sem que cresçam exageradamente e se alonguem, como no caso da miopia.

Muita gente me pergunta: "Mas, Tati, e a camada de ozônio?". E é quando percebo que poucos sabem que uma das camadas da nossa retina é a melanina. É ela que nos protege e faz a função de óculos escuros da nossa retina. Mas, quando usamos óculos escuros, é como se disséssemos para nossa melanina que não precisamos dela.

Além do mais, o que abre e fecha a nossa pupila é o músculo da íris, e para que isso aconteça precisamos de variação entre claro e escuro. Ao ficarmos muito tempo em sala fechada, quando saímos de óculos escuros, a íris enfraquece e as pupilas ficam cronicamente dilatadas, diminuindo a capacidade de adaptação à luz solar. Isso diminui o foco, já que a contração da pupila faz parte do processo de conseguir focalizar bem os objetos, por exemplo.

Fazer exercício de exposição ao sol com os olhos fechados nos faz bem. Isso, aliado à musculação que fortalece a visão, faz com que a pressão interna dos olhos se regule, já que o movimento em si faz o líquido interno dos olhos circular com facilidade.

A saúde da córnea fica ainda mais forte, e a córnea, mais lisa e uniforme. Assim, diminui-se o grau de astigmatismo e regride-se o ceratocone. Aumenta-se a circulação sanguínea para a retina e melhoram-se descolamentos, sangramentos em casos de diabetes, além de eliminarem-se manchas.

Quando jovem, eu era dependente dos óculos escuros ao extremo. Sensível à claridade, sentia meus olhos doerem quando me expunha ao sol. Assim que comecei a fazer os exercícios, deixei os óculos e vi minha visão melhorar a cada dia.

Como fazer isso no dia a dia?

É só não fugir do sol.

Passe mais tempo ao ar livre sem óculos escuros, tente caminhar ao ar livre o máximo que puder. Seus olhos só irão se beneficiar disso.

MITO 5

Os olhos só se desenvolvem até os sete anos de idade e o nervo óptico não se regenera

Se estamos conscientes de que é possível melhorar a visão em qualquer idade e de que nossos olhos são partes do corpo com músculos, nervos, vasos sanguíneos e estruturas que se renovam e se regeneram durante nossa vida, já sabemos que esse é um grande mito. O pior mal que esse mito pode acarretar é a preguiça e a desesperança.

Isso mesmo: a pessoa passa a acreditar que o estímulo aos olhos é inútil. Nada vai adiantar, pois já não é mais criança.

Se todo mundo sabe que fazer musculação e exercício físico na idade adulta faz o corpo ficar mais forte e saudável, o mesmo acontece com os olhos. Músculos e nervos oculares, quando fortalecidos e estimulados, podem se desenvolver incrivelmente mesmo depois dos 90 anos de idade.

Em muitos casos, o sofrimento causado pela dor de não poder enxergar extrapola os limites físicos. Quando conheci a Lia, ela tinha doze anos e fora inscrita no curso pela própria mãe, Elisabeth, que queria ajudar a filha com nistagmo, astigmatismo e dificuldade na visão 3D. No começo do tratamento, ela mal podia enxergar a lousa na escola e acompanhar direito os estudos.

Diariamente, ela se agachava, ia até a lousa para não incomodar os amigos de sala, decorava o que estava escrito e voltava até sua mesa para escrever em seu caderno. Mesmo com óculos, ela tinha uma dificuldade imensa de enxergar por conta dos problemas oculares.

Depois que aplicou os exercícios e as técnicas, ela descartou os óculos, diminuiu o astigmatismo, recuperou a visão a distância e passou a copiar a lição da lousa da própria carteira. Esse foi o porquê dela. E o resultado me emocionava porque eu via com meus próprios olhos como uma vida pode ser modificada através da visão, ou melhor, da melhora da visão.

No dia em que Lia conseguiu ir ao cinema assistir a um filme 3D pela primeira vez, a família saiu da sala emocionada. Graças a estes casos, eu confio cada vez mais no método, pois vejo o quanto é possível melhorar mesmo quando o diagnóstico médico não é nada animador. No caso dela, previam o pior cenário possível: diziam que ela não poderia recuperar a visão, que deveria ter um emprego que não dependesse dos olhos e que jamais conseguiria dirigir. Um absurdo.

Com uma outra aluna, a Cássia, aconteceu o mesmo. Ela tinha atrofia do nervo óptico e melhorou muito com a estimulação certa dosada com o relaxamento.

O nervo óptico se regenera – e muito. Nossos nervos são estruturas que possuem o que chamamos de plasticidade neuronal: a capacidade de se dividir, expandir e criar novas redes de neurônios sempre que existir uma demanda para isso. Todos os nervos do nosso corpo são capazes de se dividir, ramificar, e expandir suas capacidades em qualquer época da vida.

MITO 6

Deixar de usar óculos faz com que o grau aumente

A única recomendação de que precisa usar óculos de grau senão o problema pode se agravar é em caso de estrabismo em crianças na idade escolar. Isso se deve ao fato de que a diferença entre um olho e outro pode aumentar, já que os óculos não estão corrigindo o olho mais fraco.

Mas esta é a única situação específica. No restante, se você ficar mais tempo sem óculos é melhor para sua visão, já que os óculos congelam seus olhos.

Como movimentamos os olhos o tempo todo, os óculos impossibilitam esse movimento, visto que temos que congelar mais o olhar para termos mais foco. Quando se está de óculos, diminui-se a visão periférica. Sabe por quê? Porque você enxerga naquele campo onde estão as lentes e não enxerga a visão lateral.

A grande verdade é que óculos são sinônimo de muletas. Eles fazem com que a musculatura dos seus olhos trabalhe menos, porque já estão fazendo o papel do foco pela pessoa. E, dessa forma, mascaram o problema. O pior é que, quando você os coloca, em geral continua com seus antigos hábitos e seu grau só vai aumentando.

A questão é mudar os hábitos. E quem consegue mudar os hábitos e incorporar os exercícios encontra uma diferença gritante.

Para quem usa óculos e quer começar a desapegar deles, tenho uma primeira sugestão a fazer: quando acordar, não os pegue imediatamente. Ao invés de botar a mão na cabeceira da cama e colocá-los antes de se levantar, tente passar alguns minutos sem eles. Vá escovar os dentes, prepare seu café da manhã. Como você está num ambiente onde conhece a maioria das coisas, vai ser mais fácil ficar sem óculos.

Quando for fazer alguma atividade física ou exercício, tire os óculos. Se precisa dirigir, coloque os óculos. Tirar e pôr os óculos de grau é ótimo porque você começa a se conscientizar de que existe uma dependência e tira essa dependência.

Dos meus mais de 7 mil alunos até o momento em que escrevo este livro, todos estão deixando os óculos de lado e o grau só tem diminuído e até mesmo zerado.

MITO 7

Ler sem óculos faz ficar com dor de cabeça

As pessoas não têm bons hábitos visuais e acabam forçando a visão porque estão sem óculos. Não aprendemos desde a infância a relaxar a visão, e a leitura exige demais dos olhos.

Ficamos num foco só, na mesma distância, e nos concentramos tanto para ler que mal piscamos. Já notou isso? Quando lemos não respiramos, não damos pausas. Ler é uma atividade exigente para os olhos.

Contraímos a testa e os olhos para tentar uma sensação de maior foco, o que até conseguimos momentaneamente. Diminuímos e aumentamos a distância entre a córnea e a retina. E o que acontece se fizermos isso o tempo todo? Criamos uma tensão crônica ao redor dos olhos e isso gera dor. Dores de cabeça e cansaço visual.

Eu costumava ter muita dor, se ficava um tempinho sem óculos, quando era jovem. E isso era terrível. Logo que comecei o processo, quando fazia a automassagem, doía demais e eu sentia tudo muito rígido, principalmente na região entre as sobrancelhas e um pouco acima, na testa.

Quem tem hipermetropia, inclusive, tem tanta tensão que às vezes mal consegue pegar na região da testa. O que acontece é que a visão vai ficando cansada. Passamos muito tempo sem piscar, não damos pausas e nunca massageamos a testa.

Com essas pequenas medidas poderíamos ter uma grande diferença na saúde dos nossos olhos, e aí nenhuma dor de cabeça conseguiria nos atingir.

Vamos parar agora?
Dê uma pausa, conte até três
e pisque.

Depois, feche o livro, vá dar uma
voltinha até a sua janela, olhe
longe e tente enxergar o horizonte
sem óculos.

Beba uma água e dê pequenos
beliscões em toda a região da
testa e sobrancelhas.

MITO 8

Ficar perto da TV prejudica a visão

Quem nasceu primeiro? O ovo ou a galinha?

Essa é uma daquelas situações em que é evidente que a pessoa já tem uma dificuldade natural em enxergar e chega mais perto da televisão. Não se cria um problema visual por chegar perto da TV.

Quem chega perto da TV já tem um problema. A questão é que as pessoas acham que isso gerou o problema.

O problema é ficar horas assistindo à televisão com a luz ambiente apagada e sem piscar. Desta forma, ficamos sempre com o mesmo ponto focal, sem piscar e forçando a visão o tempo todo.

Claro que, um dia ou outro, vamos ver um filme e por isso ficaremos diante da televisão mais tempo, mas não dá para ficar duas ou três horas todo dia vidrado na tela e achar que sua visão não vai piorar devido a isso.

MITO 9

Use à vontade aparelhos eletrônicos que isso não causa danos à visão

Nossos olhos foram feitos para olhar para cima, para baixo e para os lados. Não fomos feitos para deixar os olhos parados. Fomos feitos para deixar os olhos vivos.

Nossos olhos têm micromovimentos. Se você parar para notar a visão de uma criança, vai perceber que ela tem os olhos vivos.

Mas, quando as crianças começam desde cedo com o uso indiscriminado de *tablets* e celulares, pode passar um orangotango laranja ao lado fazendo malabares que elas não vão ver.

Tem gente que pega ônibus e metrô, passa do ponto e se distrai do mundo porque não tem visão periférica. Quando estamos vidrados em algo, temos pouca respiração e não piscamos.

O uso indiscriminado de aparelhos eletrônicos é, sim, um dos maiores responsáveis pelos problemas visuais que vemos por aí. E eu diria até que é uma das principais causas de glaucoma, catarata e descolamento de retina. Tudo, absolutamente tudo, vem dos nossos hábitos.

Quando achamos que é só um problema de óculos, estamos redondamente enganados, porque é um problema que começa com os óculos e vai se agravando constantemente, como vimos na operação tapa-buraco.

Mas o fato de termos o olhar congelado e não olharmos a distância é o que enrijece seu cristalino. É nele que acontece a catarata. Existem outras causas, inclusive o uso de medicamentos, mas na maioria das vezes a causa é o enrijecimento do cristalino.

É como se você pegasse seu braço e ficasse com ele engessado porque sofreu um acidente. Quando tira o gesso, seu braço tem dificuldade de movimentação porque a musculatura está atrofiada e a articulação ficou sem lubrificação, então você tem que ir devagarzinho até se acostumar ao movimento.

Se você fica dias e dias, décadas e décadas e até anos da sua vida olhando perto e olha muito pouco para longe, quando você precisar do cristalino, ele, muitas vezes, não irá responder.

Se você olha o celular, depois olha uma placa longe, sem óculos, quem faz o foco para você é seu cristalino.

São os músculos que o movimentam, convergem ou alongam e eles precisam fazer isso rápido. Como eles serão rápidos se ficaram anos e décadas praticamente parados? Eles estão rígidos e sem tônus.

E como é uma estrutura sobre a qual não fomos ensinados nem sabíamos que existia dentro dos nossos olhos, a gente não sabe disso nem percebe essa rigidez.

Quando você inicia a prática dos exercícios visuais, começa a perceber.

Inclusive, esse é um exercício incrível para você fazer agora.

Cinco piscadas perto
na direção da letra que você
está lendo neste livro
e cinco piscadas longe.
Alterne isso 10 vezes.

Esta é uma ginástica para
o seu cristalino. Você está
colocando os músculos ciliares
para malhar.

MITO 10
Diabetes não prejudica a visão

A pessoa com diabetes tem uma pobre circulação sanguínea. O sangue chega com mais dificuldade até a periferia do corpo, ou seja, até as partes mais distantes do coração. Ouvimos muito sobre a questão do pé diabético, por exemplo, mas os olhos também estão na periferia do corpo e, assim como os pés, também sofrem com isso.

Nossa retina é a segunda região do corpo que mais precisa de sangue. A primeira é o cérebro. Então, de todo o sangue que sobe para a cabeça pelo pescoço, boa parte é consumida pelo cérebro. O que sobra vem para a retina.

Só que a retina tem os vasos capilares muito fininhos. Então você precisa ter um bom movimento corporal para que o sangue flua e chegue até esses pequenos vasos. Por isso, trabalhar o corpo e a circulação é muito importante para a visão.

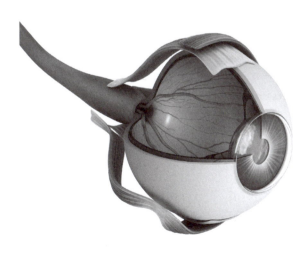

Existe essa demanda real do sangue para os olhos, ou seja, de oxigênio. Nosso cérebro percebe que o olho do diabético não está recebendo sangue o suficiente. O que ele faz? Ele vai criar novos vasinhos. Vai ramificando para tentar chegar sangue aonde ele não está indo.

O problema é que os novos vasos criados são frágeis e se rompem mais facilmente, acarretando sangramentos nos olhos. Aí o que geralmente acontece? A pessoa vai ao médico, que então recomenda a secagem dos vasinhos com tiros de laser. O tiro de laser seca o vaso, mas acaba queimando aquele local da retina. E há pessoas que fazem essas aplicações e tomam mais de cinquenta tiros em apenas uma sessão.

E fazem isso mais de dez vezes, perdendo inevitavelmente a visão. Eu chamo isso de procedimento *seca-gelo*. Já tentou secar gelo? Pois é, não adianta tentar secar, se a causa do derretimento é o calor. Trabalho em vão e sem sucesso.

O que os exercícios vão fazer? Primeiro, vão drenar o sangramento da retina – o *palming* é o melhor exercício para isso (você vai aprender esse exercício daqui a pouco). Devem-se fazer pelo menos sessenta minutos por dia no caso de diabetes. Segundo, os exercícios cuidam da *causa* do sangramento, pois levam circulação aos olhos.

Quando damos movimento para o corpo, com massagem, soltando o pescoço, e trazemos movimento e sangue para os olhos, o cérebro para de criar novos vasos, o que estanca o sangramento. Ao mesmo tempo, é preciso controlar a alimentação, porque o aumento da glicemia é a causa da falta de circulação. Controlando a alimentação e levando circulação para onde é preciso, pode até haver o diagnóstico de diabetes, mas não vai haver o sintoma de perda visual.

Por isso, eu sempre falo que uma das minhas principais missões é abrir possibilidades. Você pode escolher qual caminho quer seguir, porque o método vem e te abre um campo de novas possibilidades.

MITO 11

Criança aprender a ler cedo não prejudica o desenvolvimento dos olhos

Vejo crianças aprendendo a ler e escrever com quatro ou cinco anos de idade e os pais se gabando por isso. Já falei diversas vezes nos meus vídeos o quanto é prejudicial para crianças pequenas começar o aprendizado da leitura tão precocemente. A epidemia de crianças que já usam óculos na primeira infância certamente também está ligada a isso.

Não ensine seu filho a ler antes dos sete anos de idade.

Há inclusive a questão de se preservar a criatividade da criança. O globo ocular não está totalmente formado para que a criança consiga ler antes dos sete anos. Se, fisicamente, a criança não está pronta para ler, imagine então usar *smartphones* ou *tablets* desde pequenininha.

O cristalino da criança é muito potente e converge muito. A leitura precoce faz esse cristalino superpotente congelar o olhar da criança num ponto fixo só, o que é muito prejudicial. E esse congelamento ainda vem às vezes junto com o uso dos óculos escuros, o que é um verdadeiro crime contra o desenvolvimento visual dos pequenos.

Os pais fazem isso pensando que vão proteger a criança, mas, na verdade, estão criando um problema visual desde a infância. Óculos de sol privam a criança de luz natural num momento de formação visual. Eu, de verdade, tenho medo do que vem pela frente.

Você, assim como eu, ainda brincou na rua e não teve *tablet* quando criança, e mesmo assim provavelmente desenvolveu algum problema de visão com a vida moderna. Mas a nova geração que está por vir é assustadora. O que será das crianças da geração *tablet* e óculos de sol?

Uma forma de compensar, se a criança fica muito em lugar fechado, é tentar levá-la ao ar livre. Estimule a criança a brincar numa varanda, por exemplo. Quanto mais luz natural, mais benéfico será para ela. O ideal são três horas por dia, pelo menos.

Em relação às dores de cabeça na infância, observe. Talvez elas não tenham nenhuma relação com a necessidade de óculos. Eu não sentia dor de cabeça, quando era criança e precisava de óculos. E algumas crianças não sentem dor de cabeça e precisam de óculos. Não é uma coisa 100% relacionada à outra.

É preciso observar como a criança olha. Se ela aperta os olhos, se fica numa posição de cabeça diferente, se tapa um dos olhos para enxergar alguma coisa, se derruba muito os objetos ou tropeça nas coisas.

O fato é: preserve a visão da criança o quanto puder, evite tecnologias, óculos escuros, observe os sintomas e deixe-a brincar muito ao ar livre.

MITO 12

Óculos de sol protegem do sol

Se a exposição à luz solar realmente fosse prejudicial à visão, então todos os trabalhadores rurais de regiões com clima tropical teriam maior incidência de problemas visuais, certo? Pois é, mas isso não acontece. Pelo contrário, essas pessoas raramente têm algum problema de visão ou precisam usar óculos.

Além disso, muitos estudos já comprovaram que a falta de sol é causa de miopia. Mas foi criado um status tão grande em torno dos óculos escuros que, desde crianças, vamos crescendo com a ideia de que ficamos mais bonitos e protegidos com os óculos de sol.

Muita gente não percebe que é dependente dos óculos escuros. As pessoas estão ficando com dificuldade em abrir os olhos quando estão expostas ao sol. Não somos naturalmente sensíveis à luz. Fomos nós que criamos essa sensibilidade.

Nossa pupila é um buraco. E a íris é o músculo que abre e fecha essa pupila. Quando se tem menos luz, a pupila dilata e, quando se tem mais luz, a pupila contrai. Esse é o mecanismo para se regular a entrada de luz e se ter mais foco e visão.

Fomos feitos para viver na luz natural. Dormir em noite escura e acordar e viver em um dia claro. Mas o que fazemos hoje em dia? Ficamos em ambientes fechados e com luz artificial. E não nos expomos à luz natural. Nossa pupila fica cronicamente dilatada por falta de luz.

É a mesma analogia do gesso. Você coloca sua íris no gesso. Nem contrai tanto nem dilata tanto. Quando você precisa que ela funcione, em vez de fechar, ela dá uma "travada". E o que você faz? Aperta o olho, contrai a testa e tem a impressão de que a luz machuca os seus olhos, quando, na verdade, são os seus olhos que estão fracos para receber a luz.

É você que está desajustado, não é o sol.

Os óculos escuros criam um ciclo vicioso muito perigoso. Você coloca os óculos, enfraquece os olhos, por isso fica mais sensível à luz, o que te deixa ainda mais dependente dos óculos escuros, que enfraquecem ainda mais os olhos e assim vai, ladeira abaixo.

"Mas e a camada de ozônio?", perguntam-me.

Você tem, dentro do seu olho, tudo para se proteger contra a luz do sol.

Uma das camadas da sua retina é a melanina. E o que acontece, quando colocamos óculos de sol? Você diz para a sua melanina que não vive num mundo com muito sol. O seu organismo começa a produzir menos melanina, tanto no olho quanto no corpo. Você também fica mais sensível à queimadura na pele e cria um desequilíbrio hormonal.

Nosso cérebro nunca sabe muito bem se é noite ou dia, já que vivemos em ambientes fechados ao invés de ficarmos na claridade natural, e dormimos em noites claras ao invés de completamente escuras. Damos um verdadeiro nó no sistema. Durante o dia você parece um zumbi, sem energia. E fica acordado de noite.

Isso vai cada vez mais fundo. Existem estudos que comprovam que a falta de luz do sol chegando através dos seus olhos também causa desregulação hormonal com relação à sexualidade, ao humor e à sensação de bem-estar.

Você se entope de remédio para dormir, de energético para ficar acordado e de antidepressivo para ficar menos infeliz. Na verdade, tudo que você precisava era tirar os óculos de sol e viver a vida sob luz natural.

A gente foge do ciclo natural da vida, percebe? Basta respeitar seu organismo e confiar nele. Seus olhos são capazes de receber a luz solar e não ser prejudicados por ela, muito pelo contrário.

Digo com toda as letras: aposente seus óculos escuros. Além de enxergar melhor, você ainda vai economizar um bom dinheiro sem eles.

MITO 13
Pessoas de olhos claros têm os olhos mais sensíveis

Mito. A estrutura da íris é a mesma. Não é através dela que a luz passa para dentro dos seus olhos. É através do buraco da pupila.

Esse mito está tão arraigado na cabeça das pessoas que quem tem olhos azuis ou verdes já cria essa realidade para si.

Essa pessoa toma aquilo como uma verdade e realmente fica mais sensível à luz, usa óculos escuros e cria todo aquele ciclo de dependência que te contei no mito anterior.

Se você tem olhos claros, aproveite e mostre-os ao mundo. Eles são lindos e fortes como qualquer olho castanho.

MITO 14
O corpo não tem nada a ver com o olho

Isso é um grande mito, já que tudo interfere na saúde dos olhos. A pressão sanguínea, a circulação, a questão da glicemia, a alimentação, o sono, a atividade física. Seu corpo está totalmente interligado. Inclusive, uma das atividades que recomendo para meus alunos é andar de costas.

Caminhar de costas melhora a visão porque você aumenta a circulação na musculatura posterior do corpo, o que inclui costas, pescoço e nuca. E também alinha a sua postura. É difícil olhar para o chão, quando andamos de costas.

A maioria das pessoas, quando anda para a frente, caminha olhando para baixo. Graças a isso, acaba enrijecendo o pescoço, bloqueando a circulação para a cabeça e causando dores que às vezes nem sabe de onde vêm. Quando você caminha de costas, cria movimentos e faz coisas novas.

Nosso corpo tem infinitas possibilidades, mas usamos muito pouco o que temos. Sobrecarregamos alguns grupos musculares porque fazemos tudo do mesmo jeito, sempre. A gente enfraquece nossa musculatura.

Todo desequilíbrio é ruim para o corpo. A nossa musculatura precisa também estar alinhada, a circulação fluindo e todo o sistema funcionando bem para favorecer a melhora da nossa visão. Saúde visual e corporal estão intimamente conectadas.

POST-IT

Através deste livro, estamos começando a trilhar um novo caminho juntos. Por isso, é bom que, à medida que você faz os exercícios visuais, compartilhe suas impressões comigo e com todos os leitores. Um movimento já foi criado a partir deste livro nas redes sociais, por meio dos compartilhamentos e uso das *hashtags*.

Você já faz parte deste movimento. Juntos vamos abrir os olhos – literalmente – de mais e mais pessoas neste mundo. Já somos muitos, mas quanto mais compartilharmos, mais força teremos.

Interaja e troque com pessoas que estão no mesmo processo de melhora visual que você. Para isso, entre em **www.abraseusolhos.com.br**, deixe seu e-mail, e logo em seguida você poderá compartilhar suas realizações e percepções sobre este livro. Siga as instruções da página e utilize a *hashtag* **#abraseusolhos**.

Será muito bom ouvir sua voz, saber que você está aí do outro lado. E, por isso, vou te presentear mais uma vez. Assim que compartilhar suas impressões sobre o livro *Abra seus olhos* em sua rede social, eu te enviarei por e-mail um vídeo exclusivo e extra. Acredito que você vai gostar!

Essa troca com pessoas que estão na mesma descoberta que você é muito importante para a sua melhora visual, sabia? É bom saber que não somos poucos e muito menos peixes fora d'água.

Sabe quando você está caminhando numa direção e a outra pessoa vem no sentido contrário?

É mais ou menos o que acontece, quando estamos iniciando esse processo de transformação. Muitas vezes, quem nunca ouviu falar do método pode desencorajar quem está progredindo com ele, mas não é por mal. É por falta de conhecimento.

Vejo diariamente alunos reclamando que seus familiares não os apoiam, e é justamente por isso que criamos nosso grupo, com o intuito de caminharmos juntos, na mesma direção e no mesmo ritmo. Por isso, tenha paciência com quem não entendeu o seu caminho. Ninguém precisa aprovar aquilo que você está fazendo. O resultado é que vai falar por si só.

Eu passei por dificuldades, quando comecei. Queria curar todo mundo e ficava frustrada quando as pessoas não faziam os exercícios. Aprendi com o tempo que não podia me frustrar nem me culpar pelos resultados dos outros.

O que temos que fazer é inspirar e dar o nosso exemplo. Vamos nos preocupar em mudar a nós mesmos. Mude o seu mundo e depois os outros verão os resultados e te seguirão. Se começarmos a tentar mudar todo mundo seguiremos frustrados.

Muitos dos que criticam, quando enxergam, literalmente, os resultados, procuram se informar melhor para entender como o método funciona.

PILARES DO MÉTODO

e alguns hábitos que você
precisa praticar

Neste capítulo, vamos falar um pouco dos *princípios e métodos*, com uma pitada de exercícios, para que possamos incorporar novos hábitos ao nosso dia a dia e, através deles, possibilitar a melhora da visão.

PILARES DO MÉTODO
Uso de recursos próprios

Somos tão bombardeados pela indústria da propaganda e pela indústria farmacêutica que passamos a duvidar do nosso próprio potencial de cura.

Quando nos damos conta de que os nossos recursos são poderosos e estão o tempo todo dentro de nós, é como se acontecesse uma combustão.

O que o método faz é conscientizar as pessoas de que podemos curar a nós mesmos. E a autocura é possível, quando entendemos que temos, dentro de nós, tudo aquilo de que precisamos.

Todos nascemos com a mesma estrutura. O mesmo par de olhos que eu tenho você também tem, mas poucos de nós sabem como utilizar e potencializar toda essa maravilha.

Sabe quando você compra um carro e sai com ele da concessionária? Faz de conta que seu vizinho faz o mesmo que você, exatamente no mesmo dia. Ambos saem com carros 0 km, do mesmo modelo.

Você cuida do carro, usa gasolina de qualidade, faz as revisões, manutenções e dirige na velocidade que o carro suporta. Seu vizinho corre o tempo todo, passa reto nas lombadas, coloca gasolina adulterada, se esquece de levar para as revisões, não troca o óleo etc.

Qual dos carros você acha que vai durar mais?

Pois é, num dado momento, quando o carro do vizinho pifar, ele não vai entender o porquê, já que o seu está em perfeito estado de conservação.

O mesmo acontece conosco.

Todos temos a mesma máquina poderosa, o nosso corpo. Basta cuidarmos bem dele.

Nele, tudo está muito conectado. A saúde dos olhos sempre irá refletir a saúde do indivíduo como um todo e vice-versa.

Você já tem tudo no seu corpo. Não precisa de pílulas ou equipamentos mirabolantes. Seu corpo já é perfeito por natureza e sabe se autocurar.

Muitos de nós, quando nos machucamos, acreditamos que algo pode curar aquele ferimento. Mas nosso corpo tem propriedades que o fazem se curar sozinho. Não precisamos nem colocar um *band-aid* no raladinho, acredite.

Estamos condicionados a ficar remendando a nossa vida ao invés de curarmos a nós mesmos. Lembra-se da operação tapa-buraco da qual falamos no começo do livro?

Precisamos estar conscientes da nossa capacidade de regeneração. Tecidos, ossos, sangue. Todo o nosso corpo se regenera diariamente. Por que os olhos não seriam capazes de se regenerar, se eles são parte do corpo?

Nossos olhos estão em constante mudança. Nossa córnea, por exemplo, se renova a cada sete ou dez dias.

O que temos que entender, quando falamos sobre o uso de recursos, é que nosso corpo é maravilhoso. Você utiliza o que já tem nos seus olhos, como músculos e nervos. Eles estão com você o tempo todo.

Não precisamos de nada externo. Só nosso corpo e nossas ações.

Basta o estímulo certo.

Visão a longo prazo

Quando minhas alunas de oitenta anos de idade dizem o quanto estão enxergando bem, eu respiro fundo e encaro qualquer pessoa que questione o método ou insista em propagar mitos sobre os problemas de visão que seriam ocasionados pela idade.

Se encaramos as causas para resolvermos definitivamente o problema de visão, e do jeito certo, estamos trilhando um caminho que nos fará enxergar melhor a cada ano que passa.

Uma pessoa de noventa anos pode ter uma visão tão boa quanto uma pessoa de 15 anos. Como? Cuidando das causas para resolver definitivamente o problema, do jeito certo.

Ao adquirir novos hábitos visuais, passamos a ter mais saúde como um todo. Não vamos reverter somente um problema de visão.

Por isso, sempre ressalto que devemos deixar as muletas de lado e seguir um caminho que nos favoreça a longo prazo. E quais são as muletas? Os óculos que acreditamos que estão nos ajudando, na verdade, estão fazendo com que nosso olho fique cada vez mais preguiçoso.

Vários pontos de apoio

O método não é baseado em uma coisa só. Ele cuida de você como um todo e não desconecta as partes. E é por isso que não causa efeitos colaterais: ele não conserta uma coisa aqui e danifica outra ali.

Você precisa ter isso em mente. Que vantagem maluca existe em operar a catarata e ficar dependente dos óculos ou causar aumento da pressão ocular? Ou então usar um medicamento nos olhos que causa problema nos rins? Não vale a pena cuidar dos seus olhos dessa forma, pois seria algo no mínimo contraintuitivo.

Desta forma, passamos a entender que os olhos fazem parte do corpo e até mesmo uma massagem no pé pode influenciar a circulação dos olhos e modificar sua visão.

Quando entendermos que tudo está interligado – nutrição, corpo, emoções, hábitos e a nossa visão – conseguiremos entender o porquê de cada atitude impactar diretamente a visão.

Hoje, sabemos que inclusive as emoções têm impacto na saúde dos nossos olhos. Doenças desencadeadas pelo *stress*, que vem com o medo, a pressão e a rotina descontrolada a que nos submetemos diariamente.

Nós vamos falar mais sobre isso mais para frente, o.k.?

Se você já assistiu a um dos vídeos-testemunhos dos meus milhares de alunos, deve ter notado que eles se referem com muito carinho aos exercícios, que são muito prazerosos de praticar, fáceis e extremamente eficientes. E podem gerar resultados incríveis de melhora visual, mesmo quando são praticados com baixa frequência, como muitos alunos me confessam fazer.

É por isso que muitos alunos fazem 20% dos exercícios e mesmo assim conseguem resultados incríveis. Uma delas foi a Eliana, que, mesmo não praticando com frequência, aumentou muito seu campo visual após um glaucoma e diminuiu a pressão. Isso acontece porque existe este pilar que te permite muitas vezes não fazer um exercício ali e outro aqui, e mesmo assim melhorar a vida como um todo e enxergar bem.

Quando nos conscientizamos a respeito de alguns hábitos tóxicos que estão nos destruindo, começamos a incorporar novos hábitos em nossa rotina, de maneira que criamos um novo dia a dia. Com o passar do tempo, não é só a visão que tem uma melhora, é o seu estilo de vida.

Há poucos meses, incorporei um novo hábito à minha rotina: o de dançar. Sempre gostei de dançar, mas como estava enferrujada passei a fazer aulas de dança.

O mais incrível foi constatar o quanto as aulas faziam bem para a minha saúde física, mental, emocional, e como a dança também melhorava minha visão. Já pensou se seu médico desse a você como tratamento uma aula de dança, que alegria seria?

Confesso que a primeira coisa que fiz foi convidar meus professores de dança para fazerem parte do programa e darem uma aula presencial para os meus alunos no evento ao vivo. Uma verdadeira festa da boa visão.

Liberdade de vida

Eu tinha muito problema com a luz solar. Eu vivia me escondendo do sol. E morar no Brasil e ter problema com o sol não é uma coisa assim tão fácil de lidar. Se existia uma sombra, lá estava eu.

Essa sensibilidade à luz limitava meus movimentos. Aprisionava-me dentro de minha vida. Quando tive acesso aos exercícios, fiquei livre em muitos aspectos. O sol não me incomodava mais. Eu saía de casa. Não ficava presa dentro de um quarto escuro, escondida do mundo.

Eu me tornei livre.

Ao mesmo tempo, parei de carregar óculos de sol.

Essa independência se tornou ainda maior quando larguei os óculos de grau. Era uma sensação de liberdade sem igual. Eu pensava no quanto meu corpo era poderoso quando notava que não estava carregando os óculos comigo.

Temos, a todo momento, o poder e a liberdade de mudar as coisas. Temos liberdade e independência. Nosso corpo tem qualidades, e não defeitos. Nossos olhos são lindos. Essa sensação é indescritível.

Muitos dos meus alunos também contam que mal se reconhecem, quando olham para as fotos e veem seus olhos de tamanhos iguais. Como muitos deles acabavam tendo um olho menor que o outro por uma série de questões de visão, quando passaram a fazer os exercícios notaram uma melhora significativa.

Além disso, os efeitos colaterais dos exercícios, que produziam saúde, traziam de volta a autoestima. Pessoas com desvios de visão finalmente conseguiam notar que os dois olhos estavam olhando para o mesmo foco.

Sua liberdade não tem preço. Uma das coisas que mais me deixa feliz, quando uma pessoa começa a fazer exercícios, é que ela passa a ter liberdade de escolha. Ela não está mais condicionada a fazer cirurgia e usar óculos.

Ela pode usar óculos? Pode.

Mas pelo menos pode escolher. Ela é livre para escolher outro caminho. Não está fadada a ter esse mesmo resultado.

Viver sem óculos é ter liberdade. Viver sem ter dependências de qualquer espécie é libertador.

Por mais que alguns digam que basta colocar os óculos que "está tudo bem", conheço pessoas que deixaram de fazer coisas por verem seus óculos quebrados, ou por tê-los perdido. Com a visão perfeita você não precisa de nada nem de ninguém.

Existem pessoas que não conseguem ler o extrato bancário ou dirigir. Imagine o quanto isso restringe a sua liberdade de ir e vir. Quem não tem tantos problemas, às vezes nem percebe o quanto essa liberdade é importante.

É como quando a gente leva um tombo, engessa a perna e percebe que não pode fazer nada durante dias. É nesse momento que você se dá conta do quanto seus movimentos são importantes.

Assinar um documento, por exemplo. Eu já presenciei a vida de alguns alunos mudar depois do curso, justamente porque não conseguiam assinar contratos e nem sabiam o que estava escrito. Eles tinham que confiar em alguém para saber se aquilo que estavam assinando estava mesmo escrito no documento.

Hoje, essas pessoas dão seus depoimentos na minha página do Facebook, gratas porque descobriram, nelas mesmas, o poder da regeneração.

Ninguém sabe mais de você do que você mesmo.

Quando você se dá conta de que suprir o seu corpo do que ele precisa o fará enxergar bem, o processo se torna natural e simples.

Acho importante ressaltar que você pode continuar com seu médico ou mesmo encontrar um oftalmologista que reconheça o método. Assim, a parceria fica até mais eficiente.

Quando nos conscientizarmos de que ter autonomia para todas as atividades do dia a dia para o resto de nossas vidas é algo mágico e que dependemos da visão para a maioria das coisas que fazemos, tomaremos mais consciência de como cuidamos da saúde dos nossos olhos.

Ficar livre dos óculos, das limitações, da vergonha, da supervisão de outras pessoas para sair, é maravilhoso. Aproveitar o pôr do sol, enxergar as estrelas, ver o colorido da vida e o rosto de quem você ama... Acho que vale a pena essa liberdade, não é mesmo?

HÁBITOS

"Nós somos o que fazemos repetidamente. A excelência, portanto, não é um ato, mas um hábito."
ARISTÓTELES

A minha maior dificuldade quando comecei o método foi, sem sombra de dúvida, fazer pausas. Eu não conseguia pausar a leitura, nem parar de usar o computador ou o celular.

Foi tão difícil reaprender e adquirir novos hábitos que, quando notei o quanto era simples, percebi o quanto falhamos com nós mesmos.

Hoje, nossa sociedade não sabe lidar com o descanso. O descanso é visto como improdutivo, e só paramos quando o corpo pede socorro. Ele grita de todas as formas para que a gente descanse. Mas só ouvimos quando esse grito deixa de ser sutil.

No início, eu usava alarmes, recados ou programas de computador para ser avisada de que estava na hora de parar. Mas era um aprendizado.

Ao longo do tempo, percebi como exigimos do nosso corpo e o forçamos até o ponto em que ele nos dê sinais alarmantes. Nosso organismo tem que falar toda hora para pararmos. Para ele, é um intenso gasto de energia trabalhar para gerar sintomas para que as pessoas parem. Já pensou nisso? Que seu organismo poderia estar trabalhando a seu favor, mas ao invés disso está trabalhando contra você só para te defender?

Essa é uma verdade. Quando forçamos o organismo e não descansamos ou relaxamos, ele trabalha para gerar sintomas que nos obriguem a parar. Muitos sintomas são graves, como úlceras, apendicites ou gastrite. Outros são mais comuns, como dores de cabeça ou simples tonturas e resfriados.

Ainda jovem, eu sofria demais com as dores de cabeça justamente porque não sabia a hora de parar. Ficava horas e horas estudando, vendo televisão, e nunca dava pausas.

Eu era exigente comigo mesma porque estava na faculdade e queria estudar, pesquisar, fazer muitas coisas ao mesmo tempo. Só que nosso corpo não é uma máquina que usamos o tempo todo. Temos que nos dar o direito de não fazer nada.

Essa cultura de estar sempre fazendo alguma coisa está nos destruindo aos poucos. As pessoas não conseguem mais se desconectar do celular, das redes sociais, e querem responder tudo o tempo todo.

Temos que priorizar a nós mesmos.

Coloque você como prioridade em sua vida.

Alguns hábitos podem auxiliá-lo a melhorar não apenas a visão, mas também o seu bem-estar e a sua saúde. Já falei aqui sobre a importância de não fugir do sol e de evitar óculos escuros, né? Mas queria colocar algumas novas regrinhas na sua vida.

Não basta não fugir do sol – é importante buscar a luz solar

Quanto mais tempo você passar ao ar livre, melhor para sua saúde, em todos os níveis. Procure dar algumas pausas ao ar livre, desconectado de tudo, para receber uma energia nova e, principalmente, a vitamina D, tão preciosa e necessária.

À noite, tente não dormir de abajur ou televisão ligados. Esquece aquela luz do corredor. Deixe tudo apagado. Seu corpo precisa da escuridão para relaxar e para fazer com que o relaxamento seja total.

Conscientize-se do piscar – pisque ao menos a cada 3 segundos

Olhe longe, para uma distância maior do que quarenta metros, pelo menos de cinco a dez minutos por dia. Pode ser um minutinho aqui e outro ali, sempre que lembrar.

Para os amantes da leitura: procure ler letra por letra do parágrafo

Olhe para as letras, para os detalhes, não tente ler o parágrafo inteiro de uma só vez, pois isso cansa e congela o seu olhar.

Sabe aquela mania de esfregar e comprimir os olhos?

Esquece.

Nem preciso dizer que é para passar o menor tempo possível com óculos ou lente de contato, né?

TERAPIAS COMPLEMENTARES

Bons aliados para qualquer batalha

Lembro-me de uma paciente que certa vez entrou no consultório se queixando de visão dupla. Ela dizia ser um problema crônico e incurável, ou seja, o mesmo discurso que praticamente toda pessoa que me procura tem.

Quando começamos a conversar sobre sua vida, ela contou um pouco de sua história. Ela queria falar do problema, encontrar algo que pudesse ajudá-la. Mas eu dizia que a solução estava dentro dela. E começamos a conversar sobre quando havia surgido o problema.

Foi quando ela se lembrou exatamente do dia em que aquilo havia acontecido: ela tinha onze anos e estava na audiência de separação dos pais. Achava que teria que escolher com qual dos dois iria ficar. Foi nesse dia, diante da própria indecisão e do próprio medo, que desenvolveu visão dupla.

Neste capítulo, quero trazer para você algo que pode te ajudar na saúde dos seus olhos e na saúde integral do seu corpo e te despertar para algo que talvez você não saiba: cuidar da saúde é olhar para você por inteiro.

Já percebeu que, quando estamos felizes, praticamente nenhuma doença nos pega desprevenidos?

Ou que, quando estamos apaixonados, parece que o mundo é mais colorido? Não enxergamos problemas, e, mesmo quando eles aparecem, parecem pequenos.

Mas, quando estamos tristes, estressados ou deprimidos, nossa imunidade diminui, ficamos suscetíveis a todos os tipos de doenças e não conseguimos escapar de simples resfriados.

Embora muitos médicos sejam abertos a terapias complementares e a prevenção, quando falamos de Medicina, falamos basicamente de quando a doença já se instalou. Mas será que nós estamos preparados para agir de modo que as doenças não se instalem? Se você acha que esse assunto não tem nenhuma ligação com a saúde dos seus olhos, vai ficar surpreso em saber que desde como você pensa até o que você come interfere na sua saúde ocular.

Depois de tantos anos atendendo pessoas, pude perceber algumas características emocionais ligadas ao problema visual. Não que isso aconteça com todas elas, não é um rótulo, o.k.? Mas na maioria dos casos esses padrões se repetem.

Pessoas com hipermetropia, por exemplo, enxergam melhor de longe e têm dificuldade na visão de perto. Um dos padrões emocionais é que essa pessoa enxerga apenas os perigos que vêm de longe. Isso ocorre porque quer ter tempo de se precaver diante dos problemas que podem surgir. Geralmente, são pessoas que se preocupam com o futuro dos filhos ou com o próprio futuro. E não conseguem enxergar perto. Não conseguem ver o que está diante de seus olhos.

Por isso, aqui, vamos falar das influências emocionais e nutricionais relacionadas às causas dos problemas visuais.

ENERGIA E FÍSICA QUÂNTICA

Em primeiro lugar, vamos falar de energia. A minha, a sua, a nossa. A gente se desgasta mentalmente e fisicamente todos os dias. Chega o fim do dia e nos sentimos descarregados.

Quando vamos para a praia ou saímos de férias, dizemos que vamos recarregar as energias. Isso não é só uma força de expressão. As energias ficam em baixa ao longo do dia conforme vamos usando-as sem nenhum critério.

Sua saúde e seu estado de energia estão intimamente ligados.

Já explicamos aqui que o método faz com que você melhore a sua visão acessando o seu poder de cura. Mas, para isso, é necessário entender que não adianta tratar dos olhos se você não come direito, não dorme direito, não faz exercícios ou está emocionalmente desequilibrado.

Você é um todo. Então cuide do todo para ter energia.

A primeira vez que ouvi falar sobre física quântica eu não sabia direito o que era – achei que era algo difícil de se entender, algo inacessível. Foi então que comecei a me aprofundar nesse campo e a perceber que podemos transformar nossas vidas profundamente.

Tudo que está em nós está no todo. Essa é a base da física quântica. Mas, se vamos falar de saúde quântica, temos que entender um pouquinho de como ela funciona. Vamos lá.

Você sabia que você tem um corpo elétrico?

Vou te dar um exemplo: todos temos frequências vibracionais. Se fazemos um eletrocardiograma, por exemplo, estamos pegando as frequências do coração. Se fazemos um eletroencefalograma, pegamos informações de frequência do cérebro.

A biofísica conseguiu medir a frequência que temos no corpo. Assim, é possível saber em que vibração os órgãos estão. Por isso, hoje contamos com florais que são feitos com a frequência vibracional de flores, por exemplo, como no caso dos florais de Bach, ou de órgãos, para que a frequência do órgão saudável seja transmitida ao corpo.

Não esqueça: tudo é energia. Estamos conectados através da energia. Entendo cada vez mais que, antes de se manifestar no físico, as doenças começam a se manifestar no seu campo energético e no seu campo emocional. E somente depois elas se revelam no campo físico.

Para tratar doenças nas questões físicas, precisamos acessá-las na questão energética. E não falo aqui de nada esotérico, o.k.? Mesmo porque sou evangélica e só indico técnicas que estejam alinhadas com minhas atitudes e pensamentos cristãos.

De que forma isso pode ser feito?

Certa vez, recebi uma jovem de apenas 32 anos no meu consultório. Sua postura era triste e fechada. Logo que se sentou, contou da catarata que tinha desenvolvido em questão de meses. A catarata estava madura a ponto de ter recebido indicação de cirurgia imediata.

Antes de falarmos sobre o problema visual, olhei em seus olhos e perguntei:

"O que está acontecendo em sua vida que você não quer ver?"

Eu terminei a frase e ela desabou a chorar. Deixei que ela chorasse até aliviar a alma e o coração e, quando se sentiu preparada, contou que tinha acabado de terminar um longo relacionamento e que sofria muito com isso. Ao mesmo tempo, tinha dificuldades no trabalho, já que não rendia o esperado.

"Eu realmente não quero ver o que estou passando", desabafou.

Ficamos ali, conversando, fiz algumas massagens e passei alguns exercícios respiratórios e também de relaxamento dos olhos e movimentação do cristalino (a lente interna do olho).

Quando nos despedimos, ela agradeceu e partiu com a coluna mais ereta. Não estava mais tão encurvada e nem parecia carregar todo o peso do mundo nas costas. Fiquei observando-a partir. Quando ela retornou, um mês depois, mal a reconheci.

Tinha cortado o cabelo, estava com uma postura bonita e um sorriso no rosto. Logo que se sentou, revelou que só o fato de termos conversado naquele dia já a tinha feito melhorar.

"Eu precisava enxergar aquela realidade", confessou. Em apenas um mês de exercícios, ela já lia de longe e enxergava os parágrafos. Tinha uma melhora considerável. Mas, além da melhora visual, ela tinha outro estado mental. E isso foi fundamental.

O que temos que ter em mente é que o foco não é a doença. É o ser humano. Temos que começar a nos conscientizar de como lidamos com a nossa vida, com nossos sentimentos e com nossas mágoas. Existe uma série de circunstâncias em que, quando focamos o indivíduo como um todo, chegamos à causa. E, chegando à causa, solucionamos o problema.

Quando percebemos que temos a capacidade de nos autocurarmos, despertamos um novo olhar para a vida.

Entramos em sintonia com as leis naturais, com a luz do sol, e entendemos que o corpo tem uma inteligência específica. Se, naquele momento, eu olhasse apenas para a catarata da minha paciente, não iria tratá-la como um todo, e muito provavelmente os resultados não seriam tão rápidos e efetivos.

Temos crenças limitantes que nos fazem perguntar internamente "Será que isso funciona?" o tempo todo, e mal conseguimos acreditar que tudo que nos disseram a vida toda era mentira. Não é tão simples se livrar dos hábitos que nos levam a adoecer. Então, tentamos pensar positivamente, mas não conseguimos coordenar os pensamentos com os sentimentos. Pensamos que queremos fazer tal coisa, mas internamente sentimos medo de aquilo não funcionar e boicotamos a nós mesmos o tempo todo.

Há inclusive muita gente que tem pensamento positivo, mas não se comporta da maneira como pensa. Uma coisa é falar da boca para fora. Outra é alinhar com você mesmo.

A partir de agora, toda vez que você pensar em algo, observe como se sente em relação àquilo.

Você pensa em fazer algo, mas internamente seu sentimento é de medo e insegurança?

Quando nosso sentimento não está alinhado com o que pensamos, nada funciona.

E, dessa forma, sabotamos as possibilidades de curarmos a nós mesmos.

Quanto mais evitarmos o julgamento e nos tornarmos cientistas de nós mesmos, maior será a probabilidade de sucesso. Um cientista não questiona se é bom ou ruim. Ele experimenta. E só sabe se funciona depois de experimentar. Por isso, experimente, não fique esperando e não se sabote.

Temos que treinar a capacidade de auto-observação dos nossos pensamentos. Não dá para ficarmos cegos para o que está acontecendo conosco, repetindo padrões e nos identificando com pensamentos que não nos agregam nada e ainda diminuem nosso potencial. A primeira coisa que devemos fazer quando temos um pensamento que nos coloca para baixo é entender que podemos substituí-lo por outro que esteja em harmonia com o que queremos para nós.

Se não evoluímos, diminuímos a nós mesmos. E como isso está relacionado com a visão?

Comprometemos nosso cérebro. Nossos hormônios, os sistemas endócrino, imunológico e nervoso podem ser afetados.

Podemos registrar o pensamento negativo, mas não precisamos nos identificar com ele. Podemos dar um novo comando para o nosso cérebro, dizendo que aquilo não é mais nosso.

Você merece ser feliz e merece ter uma vida e uma visão saudáveis. E você pode agir a seu favor, quando desconstrói os pensamentos antigos e fortalece seu sistema imunológico, criando um ambiente propício para influenciar o corpo.

Nosso corpo tem memórias celulares e, quando mandamos um pensamento para o cérebro, registramos uma emoção. Podemos, desta forma, mudar toda a nossa memória cerebral e a nossa função genética.

Uma nova informação faz com que uma genética se expresse. Acorde seu potencial. Não somos escravos da genética. Muitos acreditam que são, mas podemos acionar novos genes e mudar nossa expressão genética.

Se repetimos o mesmo padrão de nossos pais, a forma de pensar, as crenças limitantes, acreditamos que temos a mesma genética quando temos uma doença similar. Mas, quando temos um padrão de doença na família, temos que tentar entender qual é o padrão de comportamento, os hábitos, sentimentos, atitudes dela. Temos que olhar para o emocional, estilo de vida, alimentação e enxergar o que nos faz repetir o mesmo padrão e adoecer.

Quando você vir seus avós, pais e familiares com o mesmo problema, pergunte a si mesmo: estou repetindo o mesmo padrão negativo deles?

Temos que evoluir em nossa vida. Quando nos curamos, podemos curar nossos pais, nossa família e todos os que nos cercam. Principalmente porque isso muda um campo energético em torno da gente.

Não é porque você é míope que seu filho será míope. Você pode mudar seu ambiente interno e externo. E é isso que a física quântica e a Bíblia também nos mostram: que temos a escolha de nascer de novo, quando quisermos.

Precisamos parar, de uma vez por todas, de repetir o mesmo padrão de adoecimento.

Parar de tomar remedinho para o sintoma, botar óculos e repetir os mesmos padrões errados. Precisamos impedir o ciclo da doença, sair dele.

A ideia da saúde quântica é ir para as causas, para a educação e para o treinamento e a sabedoria do próprio corpo. Se você colabora com seu corpo, terá ferramentas extraordinárias. Por isso, há a necessidade de alinharmos os pensamentos com os sentimentos e nos observarmos constantemente.

Eu acredito sinceramente que chegará um dia em que as medicinas irão se integrar. Precisamos de energia para viver com qualidade. E quando adoecemos, vamos a hospitais, lugares onde nossa energia é drenada. São muitos os médicos sem energia e pacientes com menos ainda.

ORAÇÃO E MEDITAÇÃO

Entendo meditação como o momento em que harmonizamos a frequência cerebral com a frequência cardíaca, silenciamos o cérebro emocional (alma) e nos comunicamos com as células do nosso corpo, com Deus e com a palavra dEle.

Por muitos anos indiquei a meditação de uma forma que hoje considero errada, e, por isso, gosto de trazer aqui para você essa prática com esclarecimentos e também ligada à oração.

E para que isso fique bem claro, deixa eu te contar que nós somos corpo, alma e espírito, e não tem como falar de você como um todo se não falarmos do seu desenvolvimento espiritual e de sua ligação com Deus.

E eu não falo de religião, muito pelo contrário, falo da nossa ligação com Deus, nosso criador, e da nossa fé.

Respeito se você pensa e acredita em algo diferente disso, mas eu particularmente não consigo desvincular cura de Deus e Jesus Cristo.

Certamente ele tomou sobre si as nossas enfermidades e sobre si levou as nossas doenças.
Isaías 53:4-5

É claro que temos que fazer nossa parte e, principalmente, ter fé, mas Deus nos dá a capacidade para nos curar e abençoa e permite nossa melhora.

Ele nos criou com um corpo tão sábio que se regenera e se revitaliza todo o tempo.

Quando acumulamos mágoas, ressentimentos ou emoções negativas, nosso sistema imunológico se enfraquece, abrindo portas para a doença.

Literalmente, nós não ajudamos essa máquina perfeita criada por Deus quando estamos nesse estado.

E muitos de nós passam a maior parte do tempo na frequência de reclamar, odiar e com emoções e sentimentos negativos em relação a tudo.

Quando eu falo de nos desenvolvermos espiritualmente, falo exatamente de desenvolvermos os dons da paciência, da mansidão, da benignidade, da fé, da bondade, da alegria, da paz, do domínio próprio e do amor. E no meu entendimento esses dons são inseparáveis de Deus e do amor de Jesus Cristo.

Mas o fruto do Espírito é amor, alegria, paz, paciência, amabilidade, bondade, fidelidade, mansidão e domínio próprio. Contra essas coisas não há lei.
Gálatas 5:22-23

Antes, quando eu meditava da forma tradicional, digamos assim, esvaziando a mente, me desconectando do mundo e tentando não pensar em nada, eu até conseguia relaxar.

Mas quando iniciei meu caminho com Deus de forma mais profunda e comecei a meditar do jeito certo, ou seja, me enchendo do amor dEle e lendo a Bíblia, eu dei um salto na qualidade da minha saúde.

Eu sou outra pessoa, nasci de novo, e agora vejo o mundo com olhos bons.

A candeia do corpo são os olhos; de sorte que, se os teus olhos forem bons, todo o teu corpo terá luz.
Mateus 6:22

Quando meditamos em Deus e em suas palavras, Ele fala conosco e guia nossos pensamentos.

O mesmo acontece durante a oração sincera.

Já tive momentos de oração muito poderosos com meus alunos agradecendo pela visão que temos, agradecendo pela nossa saúde, e pedindo ainda mais vitalidade e saúde para os nossos olhos.

Independentemente daquilo em que você acredita, saiba que a oração e a fé ajudam muito no processo de melhora de qualquer problema visual ou de saúde. Para meu processo de cura, em particular, foi essencial.

Você precisa ter em mente que é sempre tempo para começar algo novo em sua vida, seja a sua vida com Deus, oração, exercícios visuais, o que for.

Não acredite na bobagem de que é tarde para começar algo.

Sempre é tempo de se desenvolver, aprender e praticar coisas novas.

Digo para os coaches e terapeutas que são treinados por mim que precisamos ser humildes e abertos para aprender todos os dias e em todas as situações. E principalmente que nós não curamos ninguém, somos somente instrumentos de Deus.

Talvez cuidar dos seus olhos seja somente a ponte para você se conectar com o que há de mais importante, o amor de Deus, e eu oro para que você abra seus olhos também para isso e que a cura seja uma benção do Pai para sua vida.

Deus conhece cada célula do seu corpo, e nada que acontece na sua vida é uma surpresa para Ele. **O Seu poder não tem limites**, e Ele pode ordenar a cura para você, seja na área física, emocional, psicológica ou espiritual.

RESPIRAÇÃO

Eu sempre me considerei uma mulher ansiosa. Pelo menos era o que meus pais e amigos me diziam sempre: "Ai, Tati, para com essa ansiedade. Deixa as coisas acontecerem".

Lembro-me do frio na barriga constante e da preocupação com aquilo que nem tinha acontecido ainda.

Não sei se você é assim, mas eu muitas vezes criava na minha mente infinitas possibilidades de algo acontecer, e com todas elas eu me preocupava. Claro que gastava uma energia imensa com isso.

Uma das coisas que mais me ajudou a controlar a minha ansiedade, além de aprender a meditar da forma correta e me conectar com Deus, como te contei agora há pouco, foi a respiração. Isso porque o benefício da oxigenação no corpo ajuda nosso relaxamento.

Hoje, muita gente sofre de ansiedade, depressão, *stress*. Todo mundo parece ter sido infectado com esses males. Com a nossa rotina maluca, todos temos um pouco disso.

A dica de respiração é boa para tudo.

Temos que começar pela respiração. Se não respiramos bem, não temos o básico para viver com saúde.

Respirar é bom para os olhos.

Você terá uma visão melhor se respirar melhor.

Aliás, será que você sabe como é sua respiração? Tente perceber como você respira. Coloque sua mão na barriga e sinta o ar entrando e saindo.

Temos que criar demanda por oxigênio. Mas, para que o ar entre, precisamos ter espaço interno no corpo. E quando não temos, precisamos abrir esse espaço interno com movimentos e alongamentos.

Tente, agora, soltar os braços e se alongar. Entrelace seus dedos e solte-os. Alongue o peitoral e dê pequenas batidinhas no seu peito. Principalmente no meio.

Dê batidinhas na barriga ou massageie-a como se estivesse espalhando um creme. O abdômen também vive tensionado, e temos que ter expansão abdominal para que possamos respirar melhor.

Solte a região e massageie. Tente massagear suas costelas, rotacionar os cotovelos para trás e para a frente, encolher e expandir o peito para soltar a parte de trás das costas. É importante entender que a respiração se dá pelo nariz. Ele tem pelos que limpam e aquecem o ar para você. Se você respira com a boca, a troca não acontece da mesma maneira. Respirar é completo e profundo.

A RESPIRAÇÃO DO JARRO

Respire devagar.

Pense que o seu tronco é um jarro e o ar é a água.

Como enchemos o jarro? A água preenche primeiro o fundo. Então inspire e envie o ar para a barriga, encha e expanda o abdômen e logo em seguida expanda seu peito de forma completa. Para soltar o ar, comece esvaziando o peito e logo em seguida o abdômen. Repita o processo pelo menos dez vezes, devagar e completo.

NUTRIÇÃO COMO ALIADA

Aprendi que existe uma grande diferença entre comer e nutrir.

Muita gente apenas sobrevive. Reclama que teve um dia tenso e está cansado e simplesmente desconta tudo na comida. Exatamente quando o corpo está precisando de nutrientes.

Por outro lado, vemos uma falta de criatividade generalizada quando se trata de criarmos as refeições do nosso dia a dia. Não precisamos comer a mesma coisa todos os dias. A natureza tem safras e ciclos que se alinham com a saúde do homem.

No outono, ganhamos uma dose extra de vitamina C; no verão, frutas cheias de água. A natureza sabe aquilo de que o corpo humano precisa e quando precisa.

Quando a gente pensa em alimento que é bom para a visão, todo mundo pensa na cenoura. Ela realmente tem propriedades que ajudam a melhorar a visão noturna.

Mas não é só a cenoura que faz bem para os olhos. Alimentos de cor laranja e amarela também fazem. Já as folhas verdes escuras, como rúcula, espinafre refogado e couve, trazem o magnésio, um mineral fundamental para a saúde dos olhos. Para quem tem espasmos na pálpebra, que indicam deficiência de magnésio, ele é mais que indicado.

Os sucos verdes também passaram a fazer parte da minha alimentação há algum tempo. Eu costumo usar a centrífuga e frequentemente faço uma receita com couve, limão, gengibre, maçã e água de coco. Procuro variar com folhas de cenoura e beterraba, e também com cúrcuma e outras frutas, como abacaxi e pera.

Recomendo alimentos orgânicos e frescos, pois eles sempre nos trazem mais energia do que enlatados, embutidos e industrializados.

ANTIOXIDANTES

É importante ingerir alimentos que sejam antioxidantes, que ajudam na eliminação dos radicais livres responsáveis por várias doenças. Alguns alimentos também possuem elementos e combinações especiais que ajudam na sua visão. Afinal, tudo o que ela recebe – vitaminas, sais e nutrientes – vem do que você come.

Rever nossos hábitos alimentares é nossa obrigação diária, já que temos o hábito cultural de consumir muito pão e leite. Assim, ficamos intoxicados de trigo, glúten e laticínios o tempo todo. É trigo no pão, no macarrão, na pizza, no bolo. E uma geração que não consegue fugir da rinite e dos problemas respiratórios.

O açúcar também prejudica o corpo e, consequentemente, a visão. Com excesso de açúcar, o sangue tem uma dificuldade maior de circular. E o índice glicêmico influencia muito a maneira como enxergamos.

O excesso de sal também é prejudicial e nocivo à nossa saúde.

Procure evitar o consumo elevado de carboidratos.

SEIS ALIMENTOS PODEROSOS PARA TER NA COZINHA

1. Ovo
A gema do ovo possui luteína, um carotenoide responsável pela pigmentação de vegetais amarelados, verdes, laranjas e vermelhos. A substância tem propriedade antioxidante, o que ajuda a neutralizar a ação dos radicais livres responsáveis pelo envelhecimento celular e pelo aparecimento de doenças, em especial na mácula.

2. Vegetais escuros
Vegetais escuros, como espinafre e couve, também possuem altas doses de luteína. Além disso, eles estão repletos de vitaminas A e K, sendo bons para o fígado. A Medicina chinesa, por exemplo, acredita que o fígado e a vesícula estão ligados à região dos olhos.

3. Carotenoides
A substância é bem requisitada na boa alimentação e está presente na cenoura e na folha dela. Esse alimento possui vitamina A, que ajuda na visão noturna. Além da cenoura, você encontra o carotenoide na manga e no tomate.

4. Ômegas
Os ômegas são ótimos para regular a produção de lágrimas, além de serem fundamentais para o bom funcionamento do cérebro. Você encontra a substância nas sementes de linhaça e chia. Também pode aproveitar a sardinha, o salmão e os peixes no geral.

5. Vitamina C e antioxidante do mirtilo

A boa alimentação também pede vitamina C e antioxidante do mirtilo. Se você não conhece esse alimento, saiba que ele possui um valor nutritivo indiscutível. Ele é um fruto conhecido por diversas vitaminas, como A, B, C e PP. Além disso, tem sais minerais, magnésio, potássio, cálcio, fósforo, ferro, manganês, açúcares, pectina, tanino, ácidos cítrico, málico e tartárico.

Você pode também fazer um *mix* de *goji berry*, maçã desidratada e mirtilo, colocando-o na salada ou em frutas picadas. A mistura consegue tirar os radicais livres. Você também pode usar os alimentos em mousses e sucos.

6. Água de coco

A água de coco é comparada ao leite materno por muitas pessoas. Logo por aí, já percebemos por que ela está inserida em um cardápio de boa alimentação. Mas para ter os nutrientes você precisa utilizar o coco mesmo, nada de produto industrializado.

O principal benefício da água de coco é que ela possui 47% de ácido hialurônico, que também compõe seu humor vítreo. Ou seja: a "geleia" que compõe seu olho. Outra parte boa da água de coco é que ela ajuda a diminuir a pressão arterial.

IMPORTANTE

Procure um médico nutrólogo e peça para que ele investigue todos os minerais e vitaminas do seu corpo. Praticamente em todos os casos é necessária a SUPLEMENTAÇÃO dessas substâncias para sua saúde.

Eu hoje tomo suplementos com **magnésio, ômega, lute na, zeaxantina, zinco, cúrcuma, e vitaminas B, C e D.**

Talvez você precise destes mesmos suplementos, talvez de outros, mas saiba que é importantíssimo verificar isso o quanto antes, tanto para melhorar seus olhos quanto para sua saúde, imunidade e longevidade.

Dica extra!

Jejue. Em todas as vezes que fiz jejum, eu melhorei a minha saúde e me senti mais disposta e ainda mais conectada a Deus.

No jejum, seu corpo economiza a energia de metabolizar o alimento sólido e usa essa energia para restaurar outras células e sistemas que possam estar danificados. É uma limpeza geral, como se você tivesse levado seu corpo para a manutenção.

Meus jejuns nunca são sem água. Tomo água constantemente e me mantenho em um estado mais relaxado e em oração.

Eu e meu marido fazemos jejuns constantes aqui em casa, de 24 horas, de 48 horas e já estamos nos programando para fazer um de sete dias. Só temos saltos em nossa saúde física e espiritual com isso.

Recomendo que converse com seu médico antes e pesquise bastante. Na internet, você encontrará relatos incríveis sobre jejum.

A VISÃO E AS EMOÇÕES

Já reparou como as pessoas apaixonadas ficam mais bonitas?

Não é à toa que elas ficam com um brilho nos olhos. A pupila até aumenta nos olhos dos apaixonados. Foi feita uma pesquisa em que mostraram os olhos de uma mesma mulher para algumas pessoas. Em uma das fotos a pupila estava um pouco aumentada. Todo mundo achou que ela estava mais bonita.

O curioso é que só aquilo tinha mudado. Não estou falando da pupila aumentada a ponto de tirar a nitidez. Mas, quando a pupila aumenta, deixamos entrar mais luz e mais vida. Quando estamos felizes, queremos receber mais, e o olho fica mais aberto. As emoções positivas deixam a visão melhor. Quando estamos mais felizes, enxergamos mais.

Isso é um fato.

Da mesma forma, as emoções podem afetar sua visão de forma negativa. Se até a composição da lágrima é diferente se você chora de tristeza ou de alegria, imagine o quanto sua emoção está ligada ao seu corpo!

Você mesmo já deve ter ouvido a expressão "cego de raiva".

Quando você está com raiva, ela literalmente te cega.

Quando você está numa situação de *stress*, raiva ou ódio, seu olho é afetado por isso e pouca coisa entra, porque ele sabe que você está saturado. Então você passa por alguém e nem enxerga aquela pessoa. Por quê? Porque você tem menos retenção de informação. Você vai repelindo essas informações.

Você está num estado emocional que não suporta coisas novas no seu cérebro. Seu cérebro não deixa você absorver.

Nosso organismo ativa uma série de substâncias que nos fazem preparar o corpo para uma situação de luta quando estamos sob o efeito da raiva, do ódio ou do *stress*. A frequência cardíaca aumenta, a adrenalina acelera os batimentos cardíacos para que possamos lutar contra aquilo.

Uma das reações que ocorrem nos olhos diante dessas emoções é a dilatação da pupila. Você vai precisar que mais luz entre nos seus olhos. Quando você dilata demais a pupila, a visão fica mais embaçada e perde o foco, porque você não está preparado para observar os detalhes e as minúcias. Esta é a questão fisiológica. Fica mais embaçado, literalmente, por causa da pupila.

Porque, numa situação de luta, você precisa agir, e não enxergar nitidamente e com clareza de detalhes. E a emoção da raiva gera tudo isso, mesmo se você não estiver correndo nenhum perigo real. Mesmo sem ter por que fugir ou lutar, você desencadeia todas essas reações corporais e consequentemente enxerga menos.

Além da raiva, um estado que gera emoções que cegam é o *stress*. Quando você está sobrecarregado, geralmente traz uma carga de preocupação adicional.

Vejo em casos de descolamento de vítreo, por exemplo, pessoas extremamente preocupadas com o bem-estar dos familiares, o que gera uma carga muito forte.

Outros, inflexíveis, são muito duros ou controladores com os outros e acabam endurecendo o corpo como um todo. E nosso olho tem que ser molinho. Ele é 90% composto de água. A inflexibilidade torna as emoções mais densas e deixa qualquer um sob estado de tensão.

As emoções estão sempre interligadas com nossos movimentos.

Pode notar o medo, por exemplo. Além de cegar, ele nos paralisa.

E, se a vida é movimento, quando ficamos parados não agimos.

O próprio medo de ficar cego é uma das coisas que pode cegar qualquer um. Mas o medo tem cura. Você cura o medo quando sabe que tem que agir para melhorar. Agir cura o medo.

Quando você está no oftalmologista e ele diz que você precisa fazer cirurgia, não tem como não ficar mesmo com medo. Porque você sente que não tem o que fazer nem armas para lutar. Quando você tem armas para lutar e sabe que pode melhorar aquela situação, mune-se de estratégias e age, e assim o medo vai embora.

Muitos alunos sofriam com o medo. Alguns deles sequer dormiam com a luz apagada. Tinham medo de ficarem cegos. Já não faziam as atividades do dia a dia. Tinham medo da cegueira, medo de o grau aumentar, um medo muito grande.

A cegueira é apavorante mesmo. Mas a maneira de lidar com isso é agindo. Quanto mais exercícios visuais você fizer, mais estará fazendo algo pelos seus olhos. Consequentemente, as melhoras virão e o medo vai embora.

Muita gente tem medo de perder a visão. Assim como muita gente tem raiva dos próprios olhos. Muitos alunos chegam até mim com raiva dos próprios olhos. Acham que a visão é embaçada, que não enxergam nada com o olho. Mas, olha só: nosso cérebro reproduz aquilo que a gente pensa e aquilo que a gente fala. Não posso praguejar contra a visão, pois assim vou criar essa realidade. Se falo que não enxergo nada, meu cérebro vai me mandar não enxergar nada, e cada vez eu vou enxergar pior.

"Esse olho é ruim", "Esse olho não funciona"? Aí não vai funcionar mesmo.

Não adianta exercitar no sol, fazer estímulo com luz, virar de ponta-cabeça e continuar falando que o olho não funciona, que ele é fraco ou que ele é ruim.

Fincar as emoções na raiva é comum quando a pessoa tem determinados problemas de visão. Raiva de ter passado por aquele problema, raiva de a retina ter descolado. Raiva dos pais porque acha que eles não trataram da maneira certa. Raiva do médico. E como tem pessoas com raiva do oftalmologista!

Tudo isso só vai reforçando um sentimento que cega.

Faça as pazes com você mesmo, com os olhos e com o oftalmologista. Ressignifique esse tipo de sentimento ruim e fique na energia do amor e do carinho, nem que para isso você precise trocar de médico ou de terapeuta.

A gente só consegue a cura na medida em que aceita a visão que a gente tem.

Não adianta achar que vai melhorar enquanto fica esbravejando, pois assim a cura não vem. A cura vem da aceitação de si mesmo. A partir da aceitação da visão que você tem, você consegue melhorar. Se você ficar jogando essa energia de raiva e de ódio, você vai ficar cada vez pior, independentemente do exercício que faça.

Se a mente é 90% do processo, não adianta olhar longe se, quando a gente faz exercício, acha que o olho não vai enxergar nada.

Ver é querer ver!

Quando temos um problema visual, aquilo nitidamente nos incomoda. A visão é um dos principais sentidos e, quando ela é afetada, sentimos que tem algo errado. Só que muitas vezes os olhos são apenas a ponta do *iceberg*, e o problema é muito maior.

Há pouco tempo, um amigo me contou um caso que exemplifica bem o que eu quero dizer. Em 1994, houve um grande genocídio em Ruanda. A situação exterminou cerca de 10% da população do país. Anos depois, em 2000, uma ONG internacional enviou várias equipes de saúde para o local, incluindo uma equipe de TFT, uma técnica que é uma espécie de acupuntura sem agulhas para desbloquear emoções e traumas.

Num dos orfanatos atendidos havia um menino que tinha sobrevivido e testemunhado tudo aquilo. O menino havia sido encontrado vivo debaixo de uma pilha de corpos. Como na época ele tinha apenas três anos de idade, não tinha nenhuma memória do acontecido, mas não conseguia enxergar direito. Via tudo embaçado e tinha a sensação de que havia areia em seus olhos.

Mesmo depois que os oftalmologistas fizeram um tratamento, sem identificar nada errado, ele continuava com o problema. Além disso, sentia um peso no peito que não sabia de onde vinha. Sem saber da história, o terapeuta aplicou o TFT para o trauma. Eram pequenas batidas em regiões específicas do corpo dele. Foram cerca de cinquenta minutos de sessão. Assim que acabou, ele abriu os olhos, olhou pela janela e falou, emocionado:

"As folhas! Verdes!"

Ele tinha voltado a enxergar.

Na época, isso foi documentado e comprovou que, quando você cura suas emoções, dá um salto no seu nível de consciência. Para alcançar uma boa visão também precisamos ficar atentos às nossas emoções. Se os nossos olhos são a janela da alma, imagine como estamos conectados com a nossa mente, com as nossas memórias, com o que já vivemos e com o que já passou.

Se você parar para pensar, vai se lembrar do que aconteceu no dia em que perdeu uma parte da visão. Você se lembra de quando ela começou a ficar embaçada? O que estava acontecendo em sua vida? Em qual época da sua vida foi?

Já fiz essa pergunta em aulas ao vivo com mais de 10 mil pessoas. E a maioria delas sabia responder o momento exato pelo qual tinha passado. Eram situações de perda, separação, acidentes que geraram traumas e doenças.

Lembro-me de uma mulher que, durante a aula, relatou que o problema visual dela aconteceu quando era criança e foi atropelada. Mesmo que o atropelamento não tenha gerado sequela física, o fato repercutiu em suas emoções.

Ela ficou com medo e assustada, e aquela emoção foi a responsável pela perda parcial da visão.

Somos seres integrais e temos que lidar conosco como se fôssemos um todo, não como se fôssemos partes separadas. Hoje em dia, é comum que exista um médico que cuide do rim, outro que cuide dos olhos e outro que cuide do pulmão. O que precisamos fazer é cuidar de todas as esferas da nossa vida.

Eu atendia muitas crianças no consultório e sempre percebi como crianças conseguem se livrar de padrões mentais com facilidade. E é o que precisamos fazer, se quisermos buscar a cura integral.

Precisamos nos libertar das amarras emocionais e crenças limitantes que nos fazem continuar no mesmo patamar de evolução. Precisamos, mais do que nunca, entender que todos os acontecimentos têm impacto em todas as áreas ao mesmo tempo.

Uma vez, escrevi um e-mail para a minha audiência cujo título era "O que os olhos não veem, o coração sente", justamente para fazer um trocadilho com esse ditado popular. E é verdade. O olho e o coração estão intimamente conectados. Não adianta achar que se não virmos uma coisa, não vamos sentir.

Quando você não enxerga, o seu coração sente, sim, porque você tem uma falta de visão, mas está conectado com todas as emoções que tem naquele momento. Você pode não estar enxergando porque não está emocionalmente bem ou por não querer olhar para aquilo, mesmo que seja a paisagem mais bonita ou a imagem da mais pura beleza. Saber que, quando você não vê, o seu coração também sente permite a você sentir coisas boas. Porque você pode ter a visão de que o mundo vale a pena e de que vale mais a pena enxergar do que não enxergar.

Absolutamente tudo tem relação com os problemas de visão que você pode estar enfrentando. E nem sonhamos com a maneira como as questões emocionais podem originar problemas físicos inacreditáveis.

Um exemplo claro disso é que, geralmente, as crianças desenvolvem miopia aos sete anos de idade, época que coincide com os primeiros anos do ensino regular. A criança, que acaba de sair do jardim de infância, passa a ficar muitas horas fechada em sala de aula e se depara com emoções negativas muito comuns nessa época, como frustração, tédio e ansiedade. As lições exigem mais, e ela não sabe o que terá pela frente.

O mesmo acontece quando se está nos últimos anos de faculdade ou no primeiro emprego. Nestes casos, a miopia pode estar relacionada à falta de clareza em relação ao futuro. Muitas pessoas também ficam infelizes no trabalho e tentam não olhar para a questão emocional. E isso desencadeia problemas de visão porque não desejam ver o que está ao seu redor.

A não aceitação de nós mesmos pode desempenhar um papel enorme na deterioração da visão. Quando experimentamos uma forte emoção negativa, seja medo, raiva, ansiedade ou dor, a visão quase sempre piora, mesmo em pessoas que enxergam perfeitamente. Se a experiência é repetida com frequência, os resultados podem tornar-se permanentes.

Será que você aceita a si mesmo?

No livro *Imagens que curam*, uma das frases que mais me tocou foi: "Toda cura passa inevitavelmente por amar a si mesmo". Quando olhamos para nós mesmos, é um exercício de autoamor.

Já que estamos falando sobre aceitação, que tal parar um pouco e fazer exercícios?

VEJA A SI MESMO

Vá até um espelho. Olhe o seu rosto.

Você faz isso com frequência? Com qual frequência você olha para si mesmo?

Você está habituado a olhar para o seu rosto? Sabe o quanto é importante olhar para si mesmo e se enxergar?

Você precisa ter esse tempo. Vá até um espelho. Olhe cada pedacinho do seu rosto. Olhe nos seus olhos. Não fuja deles. Encare a si mesmo. Tente ficar apreciando seu reflexo no espelho. Ame seu reflexo.

VER-SE NO OUTRO

Fique sessenta segundos olhando para outra pessoa, um olhando no olho do outro. Veja a si mesmo refletido na pupila do outro. É mágico perceber como somos vistos, e como podemos ver a nós mesmos através de um outro olhar.

É difícil para você?

Perdemos a conexão com as pessoas no dia a dia. Não temos o hábito de olhar dentro dos olhos. Sabe o que isso causa? Cortinas visuais.

Só que, à medida que exercitamos o olhar em direção aos olhos de outro alguém, podemos perceber que estamos refletidos nos olhos do outro. Estamos interconectados e, quando perdemos a conexão com a vida e com as pessoas, também perdemos a conexão conosco.

Se não olhamos nos olhos uns dos outros, não somos capazes de olhar para dentro de nós mesmos.

VISUALIZAR PARA ENXERGAR MELHOR

Se você acabou de olhar a si mesmo no exercício que sugeri, vamos dar mais um passo. Vamos quebrar a barreira da visualização.

A visualização, por muito tempo, foi vista como sendo uma coisa esotérica ou rotulada como autossugestão. Mas, quando fazemos exercícios de visualização, estamos falando de neurociência.

Em todos os cursos que ministrei aqui no Brasil e também fora do país, sempre levantei a questão da mente. E sei que, se toda cura começa por aceitar a si mesmo, quando eu praguejo contra meu olho não estou aceitando uma condição temporária. Se digo para mim mesmo que meu olho é preguiçoso, que não vai ser fácil melhorar, estou dando comandos para meu cérebro. E reforço um padrão que repito a todo momento.

Temos que, inicialmente, aceitar a visão que nós temos e curtir essa visão. É essa visão que nos ajuda a viver e, por isso, deveríamos agradecer pelo que temos. A partir daí começamos a melhorar.

De acordo com a minha experiência, melhorando a visão de pessoas desde 2004, quando enxergam a si mesmas elas se aceitam e começam a imaginar um progresso de melhora visual. Assim, elas estão contribuindo para que aquilo aconteça.

Nos esportes, é muito comum que atletas usem técnicas de visualização mundialmente conhecidas e comprovadas. Quando querem rendimento, eles simplesmente imaginam o resultado que querem. E isso é muito poderoso.

Quando um jogador de basquete visualiza a cesta, mesmo sem fazer os movimentos, seu rendimento melhora nos jogos. E existem provas científicas de que nosso cérebro não sabe diferenciar o que pensamos do que fazemos. Ele simplesmente não consegue fazer essa distinção. Por isso, quando pensamos no que queremos que aconteça, estamos antecipando as sensações e, desta forma, ativando o centro neurológico como se já estivéssemos, de fato, fazendo aquilo.

Segurando este livro, feche os olhos
e repita em voz alta três vezes:
"Letra preta – papel branco".

Nosso cérebro vai entendendo que
a letra está mais escura e o papel,
mais branco.

Visualize.
Em poucos minutos, já estará
enxergando com mais nitidez.

No capítulo 8 vou fazer com você esse exercício, e você verá a diferença.

Em alguns centros de pesquisa já foi feito o experimento de colocar pessoas em salas diferentes, sugerindo que imaginassem estar fazendo determinado tipo de movimento, mas sem mover um músculo. Depois, foi medida a força muscular dessas pessoas e foi constatado um aumento das fibras musculares nos locais onde elas haviam imaginado que estariam fazendo determinados movimentos.

Ou seja: só de pensar que seu braço está se movimentando, você faz com que seus músculos trabalhem. Consegue entender o quanto isso é importante e poderoso para a sua saúde? Visualizar o que queremos que aconteça em nossas vidas é uma ferramenta poderosa e eficiente. Pensar em ver melhor faz você ver melhor.

Se negligenciamos o poder da visualização, fica difícil atingir os resultados. Temos que fazer nosso cérebro trabalhar a nosso favor, dando valor à estratégia que adotamos.

Assim que aceitei escrever este livro, eu sabia que queria, acima de tudo, quebrar paradigmas. Instituímos que algumas coisas acontecem conosco e sempre aconteceram do mesmo jeito. A nossa mente, desta forma, tende a sempre repetir os mesmos padrões. Por isso, queremos quebrar o padrão da mente, rígida, que nos condiciona a pensar como todo mundo, sem aceitar novas verdades e incorporar novos hábitos em nossa rotina.

Já percebeu como demoramos para aceitar algo novo? Colocamos a dúvida sempre em primeiro lugar e, quando estamos diante de algo desconhecido, ficamos com aquela pulga atrás da orelha e temos dificuldade de aceitar que aquilo pode ser benéfico para nós, simplesmente porque nunca ouvimos falar da tal técnica.

Sei disso porque eu mesma, quando comecei a ter acesso a este método, também senti o peso da dúvida, mas tudo ficou mais fácil à medida que experimentei os resultados e comecei a estudar o poder que a minha mente poderia exercer para potencializar o processo.

Se nossa mente é rígida, essa rigidez passa para o nosso corpo. E a mente mundial, chamada de inconsciente coletivo, é rígida no que diz respeito à questão visual. Existe um pré-conceito de que os olhos não melhoram, de que apenas óculos e cirurgia podem resolver alguma coisa, e essa mente mundial é tão forte que somos influenciados por ela. Principalmente quando aceitamos crenças externas.

Nosso inconsciente, *linkado* com o inconsciente coletivo, traz crenças tão arraigadas que ficamos presos a uma mentira que contamos e recontamos a nós mesmos. Quantas vezes você não ouviu que "olho não melhora"? Quantas vezes você não foi alvo de chacotas, principalmente depois de começar a testar os exercícios deste livro? Quantas vezes não bloqueou o próprio processo por acreditar nessas vozes externas?

Assim, bloqueamos nossa melhora, sem deixar que a mente flutue. Mas podemos mudar isso, deixando nossa mente agir a nosso favor. Além de não nos boicotarmos, temos que fugir da sabotagem dos outros também.

E como fazemos isso? Assim que começarmos algo novo, devemos acreditar que aquilo vai dar certo. Se alguém disser que não adianta, fecharemos os ouvidos e persistiremos.

Quando alguém diz que olho não melhora, temos que nos posicionar contra isso. Temos que saber que, se aceitamos algo, aquilo chega a nosso coração. E sabotamos a nós mesmos.

As pessoas não têm noção do que fazem umas com as outras quando destroem sonhos ou possibilidades de cura. Mesmo aquelas que te amam acabam expurgando medos em sua direção, fazendo com que você duvide da sua melhora.

Muitas vezes, somos infectados pelos próprios médicos, que nos fazem desacreditar as nossas possibilidades de cura. Como a palavra do médico é pesada em nossa sociedade, parece uma coisa absoluta. Quando vamos ao consultório e contamos que estamos sentindo nossos olhos melhorarem, sabe o que a maioria diz? Que aquilo não adianta.

Só a palavra de um médico dizendo algo contra aquilo que você pratica já aciona mecanismos em seu cérebro que fazem com que você enxergue pior. E aí, você começa a rever seus conceitos, pensando: "Será que eu estou certo?". Você começa a pensar que está perdendo tempo e pode passar a duvidar de si mesmo. E, então, já está usando a visualização contra você mesmo.

O que temos que aprender é a pensar nos resultados que queremos atingir. Só para você ter uma ideia do quanto as palavras e os pensamentos afetam nosso campo de possibilidades, quando você diz para uma criança em cima do muro: "Cuidado para não cair!", você aumenta consideravelmente a probabilidade de que ela caia, porque aciona nela um mecanismo que cria uma imagem mental de si mesma caindo. O ideal é criarmos mensagens positivas. Neste caso, dizer

"Equilíbrio", ou "Fique firme", é mais efetivo do que dizer "Cuidado para não cair". Experimente sempre dizer o que você quer que aconteça. Não só com os outros, mas com você mesmo.

Se quer ser mais corajoso e confiante, imagine que é corajoso e que tudo de bom acontece com você. Isso cria uma blindagem mental que favorece que você tenha coragem e aja de acordo com o que imagina. Reforçando o padrão positivo, conseguimos ficar vigilantes com a nossa própria consciência, que muitas vezes repete algo que não queremos.

Outro dia, disse aos alunos, antes de uma aula, que ela seria ótima e que eles não teriam sono. Só o fato de eu dizer isso fez com que muitos deles sentissem sono. Eu disparei o sono neles, sem perceber.

Depois eu corrigi e disse: "Vocês ficarão acordados, pois a aula será incrível".

Por que estou contando tudo isso? Porque agora vamos acessar as emoções, e traremos a questão física para a consciência. Se queremos promover a cura, temos que entender que precisamos usar a mente a nosso favor.

Já falei aqui e repito: se nossos olhos são as janelas da alma, imagine como estamos conectados com a nossa mente e com as nossas memórias do que já vivemos e do que já passou.

É importante termos essa consciência, porque assim entendemos como as emoções e os sentimentos, mesmo quando os resgatamos através da memória, afetam-nos e afetam a nossa saúde física.

Já parou para pensar em como você fica irritado quando se lembra de uma pendência difícil de ser resolvida? Ou como se sente enojado quando se lembra de um prato ruim que comeu? Como sente frio na barriga, se olha um lugar alto? Sentimos mesmo que apenas imaginemos as situações.

Por isso, a visualização está intimamente ligada às emoções – porque elas despertam sensações e sentimentos. E elas nos afetam como um todo.

Todos os acontecimentos nos impactam em todas as áreas do nosso corpo. Ficamos inundados de energia quando fazemos algo de que gostamos ou experimentamos uma emoção positiva. Se recordamos aquele momento, temos a mesma sensação.

Então, podemos estimular a cura se estivermos focados no nosso processo de melhora e entendermos o quanto as emoções passadas podem ter desencadeado algumas situações. Precisamos nos libertar emocionalmente se queremos criar aquilo que queremos.

E essa libertação vem de dentro e de Deus.

O que eu vou te falar agora pode doer um pouco.

Talvez não tenha nada a ver com você, mas talvez faça todo sentido. Não quero aqui rotular ninguém e muito menos padronizar sentimentos e hábitos. Deu para perceber que não gosto de padrões, não é mesmo? Mas depois de tantos anos e tantos milhares de alunos, eu percebi que existem certos hábitos e comportamentos que se repetem em determinadas doenças.

Saber disso pode clarear em você algo que precisa ser trabalhado e melhorado.

Veja isso como um alerta, o.k.? Vamos começar pelos míopes.

OS PROBLEMAS DE VISÃO × AS EMOÇÕES

Vou falar de algumas emoções, pensamentos e hábitos relacionados com alguns problemas de visão. Repetindo, sem rótulos, o.k.? Só quero te fazer pensar se isso está influenciando o seu processo e a forma como seu problema visual está evoluindo.

Miopia

Quem é míope tem dificuldade de enxergar longe. Ou, muitas vezes, não quer enxergar longe um futuro que parece desfocado, nebuloso e incerto.

Como já expliquei, muitos desenvolvem miopia no período do vestibular ou do primeiro emprego, porque não sabem o que virá no futuro. Se você está com seu futuro "embaçado", tente aceitar que ele pode não ser definido agora.

Na prática, o míope não olha longe. Primeiro, porque é difícil ficar sem óculos. Com medo de não reconhecer as pessoas na rua, os míopes têm uma dependência grande dos óculos de grau. Geralmente, têm o hábito de já levantar da cama e colocar os óculos.

Você já parou para pensar por que os óculos te trazem tanta segurança? Será que é mesmo só porque aumentam o foco?

Tive experiências com alunos míopes que tinham extrema dependência emocional dos óculos e que se sentiam mais seguros quando o mundo estava, digamos, menor, ou seja, quando o campo visual estava mais restrito.

Quanto menor o campo emoldurado pelas lentes dos óculos, menores são as possibilidades, e assim menores são as chances de errar, não é mesmo?

Temos dois hemisférios cerebrais. O lado direito do cérebro está mais ligado às artes, música, atividadas des sem regras, emoções à flor da pele. Já o lado esquerdo está mais ligado à razão, à praticidade e aos números. No caso dos míopes, já foram feitas pesquisas que provam que a maioria deles usam mais o lado esquerdo do cérebro, ou seja, são mais racionais, regrados e gostam de tudo no seu lugar. São pessoas que gostam mais de leitura e geralmente são mais introspectivas.

Os alunos com miopia geralmente recebem a minha recomendação de tentarem se policiar para ver se estão fazendo tudo sempre do mesmo jeito. Porque se começarem a tentar flexibilizar a vida, colocar um movimento diferente na rotina, praticar dança ou fazer pintura, isso certamente pode ajudar a desenvolver o outro hemisfério do cérebro.

Outra dica para os míopes é olhar longe. Experimente não colocar os óculos assim que acordar; direcione-se a uma janela e simplesmente olhe o mais longe que puder. Se enxergar apenas borrões, curta os borrões. Não tenha raiva de não enxergar. Tenha paciência com seus olhos.

Hipermetropia

Ao contrário dos míopes, pessoas com hipermetropia têm uma visão difícil para perto, mas o longe parece nítido. Então é comum só pensarem no futuro. São pessoas que têm a personalidade de estar um passo à frente. E isso pode ser um sistema de escape para fugir das obrigações do presente.

Eu era uma pessoa assim. A ponto de, durante a ida para uma viagem, já planejar a próxima. Tinha muita expectativa e preocupação com o que viria depois. Isso é a base da ansiedade. Mas quer saber de uma coisa?

Você nunca terá certeza do futuro, então relaxe e viva o momento. A visão é o presente.

Pesquisas mostram que os hipermétropes usam com mais frequência o lado direito do cérebro e, por isso, são voltados às artes e à pintura e são inclinados a atividades sem regras. Mesmo que o seu perfil não seja exatamente esse, de acordo com as pesquisas é o que acontece com a maioria.

Para o aluno hipermétrope eu digo: tente colocar um pouco mais de rotina no seu dia a dia. Isso também ajuda na visão.

Catarata

Muitas vezes, as pessoas com catarata são pessoas que não querem se desapegar de uma realidade ou não querem enxergá-la.

Pais que ficam tristes com o comportamento ingrato dos filhos, além de adultos que cresceram e veem coisas que não querem ver, muitas vezes desenvolvem catarata.

A catarata também tem a ver com situações que pegam de surpresa ou separações que são repentinas.

Ela é uma barreira entre você e o mundo externo. Será que você não está se recolhendo do mundo? Será que não está se esquecendo do contato com outras pessoas? Tenho alunos que desenvolvem catarata aos quarenta anos. Cataratas que vêm cada vez mais cedo. Estão ligadas ao *stress* oxidativo que existe no dia a dia. *Stress* no trabalho. Quando nos estressamos, nossas células produzem mais radicais livres.

A catarata pode nos mostrar que estamos diante de situações difíceis que não queremos ver. Os olhos podem criar uma cortina para a vida. Já atendi um aluno que trouxe o problema da catarata, mas, quando começamos a conversar, ele relatou um desemprego e a mudança de cidade. Era como se o corpo criasse uma cortina entre ele e o mundo.

Temos que quebrar padrões mentais. E precisamos fazer isso com o sentimento. Com consentimento. Consentimento da mente.

O que tem na sua vida que você não quer enxergar? Nem encarar?

Vista cansada

Quem tem vista cansada tem dificuldade na leitura e na visão de perto, porém enxerga bem longe. Vê o futuro, mas fica parado. Enquanto o hipermétrope avança mesmo com medo, quem tem vista cansada se recolhe.

E, na verdade, aqui a crença de que a visão só piora com a idade afeta muito mais do que os maus hábitos visuais em si. É virar os quarenta anos que a visão piora, impressionante como de um dia para o outro tudo ficou embaçado, não é mesmo? Reflita se sua mente não criou o problema, já que você acreditava com todas as forças que ele iria aparecer.

Trabalhe também para se livrar da crença de que ler é difícil. Ler é fácil, não precisa se esforçar, franzir a testa, torcer a boca e afastar o braço. Relaxe, solte os músculos, pisque e repita para si mesmo que está tudo bem, que os números no celular não são um bicho de sete cabeças, que as letras não mordem e que você vai conseguir focar com facilidade.

Degeneração macular

A mácula é a região da retina que vê os detalhes e onde estão localizadas as células que enxergam cores. Problemas na mácula acarretam dificuldades na visão central.

Percebi, ao longo dos anos de experiência, que pessoas com degeneração macular estão muito inclinadas a ser depressivas ou a ter tendências a estados emocionais mais melancólicos.

As pessoas simplesmente perdem o colorido da vida. Onde estão as cores e as belezas? Por que vou acordar de manhã e olhar para esse mundo cinza?

Percebo também que os problemas maculares estão relacionados à falta de foco, falta de centro. Pergunte a si mesmo se você está sem foco na vida. Será que você não perdeu a vontade ou a alegria de viver?

Devemos ter em mente que enxergar não é algo físico. Precisamos ter vontade de ver e alegria em enxergar as belezas da vida.

Aposte em estampas coloridas em casa e nas roupas, distribua flores e plantas pela sua residência, prefira o convívio com pessoas que te deixem com astral elevado e, muito importante, procure o sol. Sol é vida, e a luz solar possui todas as cores. Todas aquelas que estão faltando para você o sol pode te trazer de volta.

Descolamento de retina

A retina é a vida pulsante dentro dos seus olhos. É nela que a luz é transformada em impulso nervoso, é ali que as células fotorreceptoras estão ávidas pela luz, alimento e nutrição dos olhos. É na retina que temos a maior malha de capilares sanguíneos, sangue que vem e vai, luz que se transforma, vida que flui.

E, com toda essa intensidade de vida, a retina é uma das regiões dos olhos mais afetadas pelas emoções. O seu estado emocional dita o ritmo de vida de sua retina.

Antes do descolamento, a maioria dos alunos passa por um período de *stress*. Uma retina descolada vem depois de conflitos intensos que podem ser familiares, profissionais ou amorosos.

É um aviso muito forte que os olhos te deram de que algo na sua vida precisa mudar, e logo. Aquela rotina de trabalho estressante precisa diminuir, o convívio saudável com a família precisa aumentar, a saída com os amigos precisa voltar, aquele esporte que você largou precisa retornar.

Cuide, antes de tudo, do seu relaxamento mental. Tire férias e dê um tempo aos seus olhos. Se tiver condições, vá para um retiro ou algo do tipo. Chegou a hora de você dar prioridade a si mesmo e à sua saúde.

Glaucoma

No caso do glaucoma, vejo muita pressão e medo. Pessoas com medo de a pressão aumentar, medo de acordar e de não ter visão. Ficam tão estáticas com o medo que acabam andando como se estivessem com o freio de mão puxado. Quando deixamos que o medo nos imobilize, temos que prestar atenção nisso.

Quem sofre com a pressão interna dos olhos geralmente coloca muita pressão em si mesmo. Será que você não está se cobrando demais? Ou então recebe pressão de parceiros de trabalho, chefe, familiares, filhos. Por que você permite essa cobrança e essa pressão?

O glaucoma tem a ver também com o conflito de tudo precisar ser examinado minuciosamente. São pessoas tensas, com o pescoço duro, e que se preocupam com a clareza das coisas.

A massagem e os exercícios físicos são bem eficazes nesses casos, não só porque diminuem a pressão dos olhos e aumentam a circulação do corpo, mas porque também causam uma sensação de liberdade.

Aposte em atividades físicas aeróbicas, como pedalar, dançar, nadar. Quanto menos perfeição e cobrança, melhor. Escolha algo que goste de fazer, que te dê prazer e que não te exija performance ou resultados.

Astigmatismo, Ceratocone ou outros problemas na córnea

A córnea é uma parte do olho extremamente flexível. Podemos criar um astigmatismo temporário se apertarmos os olhos, por exemplo. Não esprema nem aperte seus olhos, mas talvez você se lembre daquele dia em que dormiu em cima do olho ou então apertou com uma venda, ou algo do tipo, e depois ficou com a visão embaçada. Pois você criou exatamente um astigmatismo temporário, uma deformidade na córnea.

E se podemos criar, podemos também reverter. E, para que consigamos estimular essa região, temos que avaliar se somos flexíveis ou se estamos reféns de uma rotina e desesperados quando somos convidados ou obrigados a sair dela.

Você conhece aquele tipo de pessoa que fica irritada até se o almoço não sai na hora em que deveria sair? Que se descontrola se as coisas não acontecem exatamente da maneira como previa? Pois é, mente e visão estão unidas, e, se você tem uma visão inflexível da vida, por que isso não se refletiria na estrutura dos seus olhos?

Quem é inflexível na vida tem dificuldade de flexibilizar a própria córnea. Quando trabalhamos a inflexibilidade da mente, conseguimos uma eficácia maior no processo de cura de problemas que podem ser evitados e revertidos. Astigmatismo também tem a ver com incongruência.

Quero parecer meu pai, mas só quero parecer de um lado. Por exemplo, só no trabalho, mas não em casa.

Trabalhe a sua flexibilidade. Movimente seus olhos, seu corpo. Coloque uma música que te alegre e mexa seu corpo de forma livre. Dê risada de você mesmo, porque no final das contas não podemos controlar tudo. A vida não teria tanta graça se fosse perfeitamente previsível.

Se eu não citei aqui o seu problema em específico, saiba que algumas das dicas acima com certeza servirão para o seu caso.

O cerne das emoções que afetam a visão você acabou de conhecer. Mesmo que você tenha uma família com qualquer quadro de problemas nos olhos, entenda que não somos reféns de nada. Podemos mudar qualquer quadro. Se você viver uma vida diferente, não desenvolverá as mesmas doenças. Lembre-se disso.

Uma dica para todos os problemas visuais é: viva o presente.

A luz na sua retina é processada no agora, no tempo presente.

Inclusive, se você estiver lendo este livro e pensando em outra coisa, você não vai enxergar o que está escrito aqui. Quando não estamos atentos ao presente, não enxergamos. Olhamos, mas não vemos.

Muitas crianças são detectadas com problemas visuais, mas têm problemas de atenção. São distraídas. Quantas vezes você está com a cabeça na lua sem estar no presente? Mas como fazer para estar no presente? As técnicas de meditação e oração de que falamos, por exemplo, ajudam muito nisso. Podemos nos empoderar através desse sentimento e entender que podemos sair do quarto escuro sem visão para uma vida com mais luz.

Se pararmos para refletir em cada um dos casos, conseguimos entender o que acontece com nossas emoções e por que elas estão relacionadas aos problemas visuais.

Às vezes, queremos melhorar, mas temos receio da melhora. Temos medo de enxergar a vida. Mas o que tememos enxergar?

Muitos de nós temos medo de enxergar o mundo, ver aquilo que não queremos. A visão é o sentido de intenção, e não adianta olhar para o que não queremos ver. Nossa mente nos bloqueia.

A interferência das emoções em nossa visão é muito mais profunda do que imaginamos. É importante querer enxergar, entender a si mesmo e as próprias emoções quando se está buscando um processo de cura. Não adianta estar quebrado emocionalmente e querer estar bem fisicamente. Seu corpo vai dizer exatamente o que você está sentindo através dos sintomas.

Somos seres integrais e temos que lidar conosco sem isolar as partes do corpo.

Tive uma paciente que aos 48 anos começou a apresentar problemas na mácula, logo depois que se aposentou do trabalho. Uma outra paciente descobriu a miopia quando tentava engravidar e não conseguia. Ela vivia angustiada e ansiosa, na expectativa de que a gravidez acontecesse imediatamente. Uma aluna viu seus problemas de visão começarem quando se deparou com um câncer de mama.

Se você for investigar seu passado, vai descobrir como se iniciou o seu processo. Expectativas, ansiedades, perdas, rigidez, inflexibilidade, ansiedade, medo. Todas essas são características emocionais que estão relacionadas com os problemas de visão e comprovam a relação entre corpo e mente.

Temos que estudar a origem das questões emocionais. Porque elas podem impactar todas as áreas do nosso ser. Ao mesmo tempo que uma emoção pode impactar o corpo físico, um acontecimento físico pode desencadear uma emoção. Ficamos mais felizes quando enxergamos melhor. Essa melhora física influencia a nossa saúde mental.

Se estamos tristes, por exemplo, também afetamos as pessoas ao nosso redor. Nosso campo de energia acaba ficando diferente. E isso não é nada esotérico, é eletricidade pura e simples.

É importante termos essa consciência de que tudo acontece ao mesmo tempo em todas as dimensões do nosso ser. E quando nos conectamos conosco, temos um poder de cura que pode ser amplificado para todas as áreas. Quando despertamos para isso, libertamo-nos e criamos uma nova realidade, mais conectada com a nossa essência.

Quando curamos traumas e emoções, damos um salto no nosso nível de consciência, e isso muda nosso comportamento. As emoções não curadas nos fazem estagnar. Nosso corpo e nossa energia ficam estagnados, e acabamos acumulando problemas que fisicamente passam a nos incomodar.

Quais emoções estão te aprisionando? Quais emoções estão fazendo com que você seja refém de uma situação que já passou ou ainda não aconteceu ou nem vai acontecer? Como você está alimentando seus medos, suas expectativas? Como você está lidando com a ansiedade e a aceitação de si mesmo? Como está enxergando a vida?

A vida é colorida, bonita, fluida e alegre. Quando não conseguimos enxergar isso, escondemo-nos ou evitamos olhar a realidade que está diante de nós. Fugimos de nós mesmos e daquilo que não queremos ver. Fugimos da dor, e não queremos ter contato com as nossas emoções mais profundas. Mas só conseguiremos curá-las quando aceitarmos que elas existem.

É só observar uma criança. As crianças estão plenas quando choram. Elas vivem aquela emoção e, desta forma, conseguem rir com a mesma facilidade. Elas interagem com a emoção, deixam que essa emoção floresça e transbordam até que venha outra. Elas não evitam a dor nem fogem dela. Simplesmente a sentem. Esta fluidez é fundamental para que exista a vida.

Em determinados momentos, quando tudo estiver ruim, não adianta colocar as emoções embaixo do tapete e fingir que elas não existem, tentando arrancar sorrisos imaginários.

O que precisamos fazer é acolher a nossa dor e transformar aquela emoção, convidando-a para ficar sob a luz. Só quando colocamos luz sobre a escuridão é que a escuridão se dissipa. E é assim que podemos encontrar a cura, em todos os níveis.

Trabalhar nossas emoções sem escondê-las, sem tapar o sol com a peneira, faz a gente crescer emocionalmente, ultrapassar barreiras e encontrar estados mentais que queremos atingir, porque só conseguimos substituir emoções negativas por outras mais positivas quando as reconhecemos em nós mesmos.

Todos temos nossos momentos de dor e sofrimento. Mas o significado e a intensidade que damos a eles podem fazer toda a diferença em nossas vidas. Enxergar a vida com clareza é um exercício que devemos fazer diariamente. E só enxergamos com clareza quando queremos ver.

Lembro-me de uma vez que estava estudando com um amigo terapeuta e falávamos de traumas, de quanto nossa vida pode ser prejudicada porque a gente teve um trauma de infância, porque a gente passou por alguma violência quando criança ou perdeu alguém. E eu fiz a seguinte pergunta: "Tá bom, eu identifiquei esse trauma e já entendi que aconteceu isso porque perdi uma pessoa querida, mas como vou mudar isso e influenciar esse processo?".

E ele me respondeu o seguinte:

"Só o fato de você saber que foi esse o trauma que a afetou faz você conseguir mudar uma frequência de pensamentos e agir diferente no futuro."

Só isso já pode fazer uma grande diferença. Já pode mudar uma série de ações futuras. Talvez, na hora de fechar uma janela e deixar tudo escuro durante o dia, você pense: "Não. Esta tristeza está me atrapalhando. Vou deixar o sol entrar para me animar".

É sempre bom ter o apoio de um profissional também. Contanto que tenha um profissional de confiança e sinta que aquele tratamento seja para você. Nenhum tratamento deve ser para sempre e nenhum tratamento deve te fazer dependente. Independentemente da técnica que você vai escolher, você tem que ser uma pessoa responsável para lidar com seus sentimentos. Tenha consciência de que aquela terapia é passageira.

Fuja dos profissionais que querem te prender numa terapia eterna que não te faz crescer e evoluir. Independentemente da técnica que escolha para trabalhar essa emoção, tenha a consciência de que se não consegue, agora, lidar com isso sozinho e precisa de ajuda, é uma ajuda, e não uma dependência.

Não se contente com poucos progressos ou progressos lentos.

Temos a crença de que a terapia demora anos. Vemos pessoas que resolvem traumas em segundos com saúde quântica e transformam a vida com oração, por exemplo. A emoção pode ser trabalhada em minutos. Por isso eu aconselho esses tipos de terapia.

E é lógico que existe essa via de mão dupla.

Os exercícios visuais serão amigos íntimos da terapia. Você vai para o sol, vai buscar enxergar longe, ter mais foco. Tudo vai ajudar muito nas emoções. São coisas que andam de mãos dadas.

Se estamos mais conectados, temos mais presença nesse mundo e enxergamos melhor, porque prestamos atenção. Se não prestamos atenção, olhamos e não vemos.

Quando estamos presentes e conscientes, olhamos para as coisas e as vemos realmente. Um dos maiores males da humanidade é olhar e não ver.

A gente não aprende a contemplar. O exercício contemplativo quase não existe mais. Quando a gente desacelera, enxerga mais. Mas a sociedade não está mais acostumada a desacelerar.

Estamos vivendo uma cegueira.

Estamos em lugares lindos e não olhamos a paisagem. Ficamos presos ao celular e sofremos.

São tantos compromissos, responsabilidades e questões que, quando ficamos sem fazer nada, corremos para arrumar algo para fazer. Nem que seja teclar no celular.

Outro dia eu estava na fila para renovar meu visto e passaporte, e curiosamente ninguém podia deixar o celular ligado ali. Fiquei observando as pessoas na fila, como estavam ansiosas. Muitas pegavam o celular mesmo desligado. Eu via o quanto as pessoas estavam incomodadas ali.

Precisamos acordar para essa fuga da realidade, pois não estamos enxergando aquilo que vivemos, e essa é uma das causas dos problemas de visão. Estamos nos afundando em nosso próprio mundo. Temos que olhar para dentro para podermos entender a nós mesmos e nos analisarmos. Mas estamos olhando para dentro no sentido de não olharmos para fora. E estamos fugindo daquilo que nos rodeia. É muita coisa, muita gente, muita coisa para fazer... e estamos perdendo a visão.

Estamos parando de enxergar porque nos recusamos a olhar nos olhos do outro. Não desconectamos. Não vivemos no presente. E a visão é o sentido do presente. Se você não está no presente, não está enxergando. Se você está com a cabeça em outro lugar, você não está enxergando. Quanto menos você estiver no momento presente, menos estará enxergando. E quando você não está bem, não está vivendo aqui.

O cérebro é adaptativo. Quanto menos olharmos, mais ele entenderá que queremos olhar pouco. Então ele vai criando uma cortina. Uma cortina entre você e o mundo. Cabe a nós abrir essa cortina e querer enxergar. Vamos nessa?

PRÁTICAS

Sequência de exercícios para os olhos

Chegou a hora de você colocar ainda mais o método em prática. Ao longo deste livro, você já literalmente iniciou um novo olhar. E agora vai aprender exercícios poderosos, fundamentados em princípios de melhora natural da visão.

Em cada princípio, você terá um ou mais exercícios para compor o seu treino visual. Recomendo que pratique todos os dias os tempos médios que indico em cada exercício.

Este treino é geral, ou seja, compõe o programa de todos os problemas visuais, pois trago aqui para você os princípios básicos.

Não subestime o básico, o.k.?

A sabedoria está em fazer com disciplina o básico muito bem feito, e, acredite, esta ginástica para os olhos que você vai aprender é extremamente poderosa.

Simples e poderosa.

Retire os óculos ou as lentes de contato, caso utilize, para praticar os exercícios a seguir. Lembre-se de sempre retirá-los em sua prática diária.

RELAXAMENTO

Relaxamento é um dos princípios básicos para uma boa visão.

E acabamos de falar que não conseguimos parar, certo?

A falta de relaxamento é extremamente nociva para nós.

Estamos estressados e gerando *stress* visual. E como isso é quase que um estado natural da sociedade hoje em dia, precisamos relaxar os olhos – esse é "o" princípio do princípio.

A visão é um sentido passivo, o olho apenas recebe as imagens. Veja na sua vida. Quando você recebe qualquer informação, se não estiver relaxado, você rebate essa informação, não absorve.

No corpo acontece o mesmo – para recebermos algo temos que relaxar. O relaxamento vai facilitar o acesso às nossas forças curativas. A força de cura vem do relaxamento, não do caos.

Quanto mais relaxado você estiver, melhor você enxergará.

Por isso muitas vezes *stress*, ansiedade e nervosismo parecem piorar a visão. Mas saiba que, para relaxar os olhos, temos que falar sobre relaxamento do corpo e da mente.

Você é um ser integral.

É interessante você começar a pensar: o que te relaxa? O que te faz bem? O que te faz bem e faz tempo que você não faz? Aquela aula de ioga, artesanato, pilates, dança, ciclismo, natação?

Claro que não conseguiremos ser relaxados o tempo todo. Ninguém tem o estado emocional perfeito. Mas esteja consciente e vigilante sempre. Quando você estiver numa fase mais estressante, tem que saber se blindar e se manter saudável. Você pode viver esse *stress*, mas não somatize essa situação para não precisar correr atrás de curar doenças criadas nessa época.

Para mim o que traz relaxamento é fazer pausas na rotina para respirar e olhar o horizonte, passear e caminhar em um parque ou outra área aberta, viajar, orar e meditar na palavra de Deus, dançar e receber uma massagem. E para você?

O que te relaxa?

Quando a gente fala de exercício, a gente pensa que vai carregar peso e fazer força. Eu tive que aprender que exercício pode ser, sim, relaxar.

Se alguém manda você correr no quarteirão, você assume que aquilo é um exercício. Mas por que temos essa mentalidade condicionada de que exercícios precisam ter desgaste energético e físico?

O *palming* é o exercício que mais me relaxa. Por ser simples, muitas pessoas acham que não tem efeito nenhum. A gente tem essa cultura de que altas tecnologias e fórmulas resolvem problemas e, quando nos deparamos com algo simples, não acreditamos que possa funcionar.

Muita gente me falava no início dos exercícios: "Não é possível que é só isso que vai me ajudar a voltar a enxergar. Eu não gasto nada, está dentro de mim e é só fazer todos os dias?".

Era difícil fazer os primeiros alunos acreditarem. Muitos alunos desistiam antes de tentar.

Uma das maiores armadilhas é essa: não damos créditos nem importância para isso. Só quando melhoramos é que percebemos que funciona. Mas precisamos passar pela barreira do acreditar que funciona. Muitos acreditam na filosofia, acham lindo, mas duvidam até verem os resultados.

A sabedoria está na simplicidade. Já parou para pensar nisso? As coisas mais gostosas da vida não estão nos momentos simples? O que precisamos é de relaxamento e estímulo. Assim como nossos olhos.

E isso é simples.

EXERCÍCIOS DE RELAXAMENTO

Para relaxar, você pode utilizar três exercícios diferentes: o *palming*, a massagem e a compressa.

Palming

Colocar as palmas das mãos sobre os olhos é empalmar.

Esfregue as palmas das mãos até sentir que elas estão quentes. Feche os olhos, faça duas conchinhas com as mãos, cruze-as na frente dos olhos apoiando os cotovelos para ficar numa posição confortável.

Respire profundamente e relaxe.

Fique na posição com os olhos fechados, respire, solte os ombros e curta o momento de relaxamento para os seus olhos.

Siga o tempo médio de 6 minutos. Faça de uma a três vezes durante seu dia.

O importante é buscar a visão escura. Totalmente escura.

Não adianta só fechar os olhos e ficar em um quarto escuro para que isso aconteça. É importante usar a mão para ter a energia das suas mãos.

Este exercício pode ser incorporado ao seu dia a dia em qualquer ambiente. No trabalho, na rua, em casa. Além de energizar e aquecer a região dos seus olhos, a escuridão total faz com que eles descansem.

É o mesmo que acontece quando dormimos. Esse é um sistema de defesa do corpo para descansar os olhos. E isso acontece durante o empalmar.

Quando uma barata é bem-vinda

A Tania começou a ter pressão alta intraocular, dores de cabeça, olhos secos e medo. Ela já estava com indicação para cirurgia nos dois olhos. Dois dias antes da cirurgia, começou a participar dos cursos. Entendeu que não queria mais ser impotente e largou o colírio lubrificante, um de tantos que usava. Em seguida percebeu que as suas dores de cabeça foram embora.

Aos poucos, começou a não apenas deixar de evitar a luz do sol, mas a adorá-la. O medo foi embora e ela encarou os exercícios como bênçãos que entraram em sua vida. Mesmo a leitura para perto, para a qual ela nem fez exercícios específicos, mudou: acabou a história dos óculos penduradinhos na blusa.

Até que, certo dia, num verão seco no Rio, começou a chover, ela abriu a janela e ficou sentindo o cheiro de terra molhada. Aí, num dado momento, percebeu uma barata enorme que a fez fechar a janela correndo.

Foi nesse instante que começou a chorar de alegria, já que só tinha visto aquela barata porque seu campo visual havia aumentado. Assim, ela ganhou a chance de se apropriar do seu tratamento. Uma das técnicas que mais a beneficiaram foi a automassagem.

Benefícios da automassagem

A automassagem leva ao relaxamento e traz sangue aos olhos. É importante que você relaxe a sua musculatura ao redor dos olhos para melhorar a sua visão.

Seria ótimo receber massagem todos os dias de outra pessoa ou de um massoterapeuta, mas convenhamos que isso é bem difícil de acontecer. Por isso, é importante se automassagear. Além do que, se automassagear faz com que você se conheça mais e, quanto mais você se conhece, mais você faz o que é bom para si mesmo e deixa de fazer o que é ruim. Isso só é o puro autoconhecimento.

Você sabe que apertar e franzir a testa não é legal, mas só vai perceber que está apertando quando tiver a sensibilidade na pele e no músculo dessa região da testa.

A automassagem é benéfica em todos os sentidos, principalmente para aumentarmos a percepção do nosso próprio corpo.

É importante que você assista a um vídeo onde eu demonstro uma sequência especial de automassagem, com todos os movimentos corretos. Para ter acesso gratuito a esse vídeo acesse **www.abraseusolhos.com.br**, deixe seu e-mail e logo em seguida coloque a palavra-chave **Massagem**.

Automassagem

Fique num lugar confortável. Você pode fazer deitado, sentado, em pé, no trânsito, onde quiser e na hora que quiser. A automassagem é simples de colocar na rotina porque você pode fazer outras atividades ao mesmo tempo.

Você pode se massagear enquanto olha longe, enquanto usa o computador ou durante uma caminhada. Você não necessariamente precisa usar todos os toques e posições de uma vez.

De preferência, faça toda a sequência de massagem utilizando suas próprias mãos. De vez em quando, um massageador ajuda, mas o toque estimula o seu autoconhecimento e sua percepção corporal muito mais do que qualquer aparelho ou objeto.

A automassagem é muito potente para o relaxamento dos olhos. Então, garanta um momento para fazer isso com calma e realmente relaxar.

1. Para começar, aqueça as mãos, entrelace os dedos. Chacoalhe as mãos e os dedos.
2. Passe as mãos sobre o rosto como se estivesse passando um creme. Passe depois nos ombros e pescoço e sinta a pele, onde está mais tenso e onde está mais duro.

3. Vá com os dedos relaxados para a testa e faça movimentos circulares na região em cima dos olhos.
4. Não é um carinho, mas também não é uma massagem que machuca. Procure o equilíbrio e dose a força do seu próprio toque até que fique muito agradável e relaxante para você mesmo. A testa é uma região geralmente muito rígida e até dolorida, porque costumamos tensionar essa região para enxergar melhor.
5. Depois desça para a mandíbula. Massageie as maçãs do rosto cuidadosamente e vá mobilizando a região. A mandíbula tem uma relação forte com os olhos. É por isso que quando bocejamos saem lágrimas dos olhos.
6. Dê leves beliscões na região entre as sobrancelhas, como se fosse descolar a pele do músculo. Quanto mais dói, mais é sinal de tensão na região, então mais precisa de massagem.
7. Chacoalhe.
8. Solte o punho e dê batidinhas no seu rosto. ATENÇÃO: Faça isso em toda a região da face, porém não

bata no globo ocular, o.k.? A massagem é somente ao redor dele.

9. Vibre. Segure com os dedos em determinada região do rosto e vibre.

10. Massageie também seu couro cabeludo, como se estivesse lavando os cabelos com *shampoo*. Essa massagem faz você ativar a circulação sanguínea da região da cabeça e favorece até mesmo sua mente e funcionamento cerebral.

11. Aproveite para massagear bastante a região da nuca, porque é nessa região que é processada sua visão.

12. Tente massagear o couro cabeludo segurando faixas de cabelo bem grossas e dando leves puxões. Você segura e movimenta.

13. Para massagear a região do pescoço você pode usar sua mão toda e apertar generosamente a região. Aperte primeiro com uma das mãos enquanto descansa a outra, e depois troque. Assim você não cansa seus braços ou tensiona os ombros. Não adianta massagear uma região e tensionar outra, o.k.? Relaxe e respire fundo enquanto você se massageia.

14. Depois, você pode soltar o pescoço através da pegada do cangote. Pegue uma camada generosa de pele do pescoço e puxe como se estivesse levantando um gatinho do chão. Segure dessa forma e depois vire o rosto de um lado para o outro. Repita algumas vezes essa pegada até sentir o pescoço solto. Soltar o pescoço é extremamente importante, pois é por ele que o sangue vai passar para chegar até os olhos. Pescoço duro é problema na certa, lembre-se disso e mantenha sempre essa região o mais solta possível.

15. Para massagear os ombros, faça com uma mão de cada vez, massageando o ombro do lado oposto, ou seja, a mão direita amassa e solta o músculo do ombro esquerdo e vice-versa. Depois, dê batidinhas no peito. Isso também ativa o timo, uma glândula que ajuda na imunidade e na regulação da temperatura corporal. As batidinhas ajudam também a aprofundar sua respiração.

Minha aluna Maria Helena Badra, de 62 anos, diagnosticada com retinose pigmentar, sentia a vista cansada e pesada. Ela tinha dificuldade para enxergar de longe e olhos extremamente secos. Usava colírio nove vezes ao dia, para você ter uma ideia. O sol a incomodava demais e sua visão periférica era muito restrita.

Quando ela me encontrou, estava também com edema na mácula. Logo que começou o tratamento, dispensou os colírios. De nove vezes ao dia para nenhuma. Ela fazia o *palming*, o exercício no sol, cobria um olho e jogava a bola, alongava os olhos e usava as compressas.

Com algumas atividades, já passou a conseguir enxergar o letreiros no ônibus de longe e aumentar sua visão periférica. O edema na mácula secou em poucas semanas de prática, e para isso as compressas ajudaram, e muito!

Compressas

A compressa pode ser feita quente ou fria.

Pegue uma toalha e umedeça-a com água gelada ou água morna. Depois disso, você pode torcê-la e colocar sobre os olhos fechados.

O ideal é que fique de cinco a dez minutos em cada aplicação.

Fria

A compressa fria ajuda a relaxar os olhos, diminuir inflamações e edemas. Para fazê-la, você também pode colocar a toalha dentro do congelador para ficar bem geladinha, ou mesmo usar as compressas de gel compradas em farmácias ou casas de fisioterapia.

Quente

A compressa quente vai ajudar a relaxar a musculatura e também em caso de terçol. Você pode inclusive alternar as duas compressas, colocando dois minutos da quente e logo em seguida dois minutos da fria. Alterne de cinco a seis vezes para trazer mais circulação para os seus olhos.

Dica: Chás também podem ser utilizados nas compressas e, neste caso, prefira ervas calmantes como camomila, erva-doce ou calêndula.

Assista a um vídeo em que eu ensino qual o modo ideal para preparar os chás para compressas com essas ervas. Acesse o endereço **www.abraseusolhos.com.br**, deixe seu e-mail, e logo em seguida coloque a palavra-chave **Compressa.**

Como te contei nos capítulos anteriores, os olhos possuem muitos músculos, cada um deles com sua função e importância, porém todos serão beneficiados com o fortalecimento correto.

Vamos começar com o fortalecimento da íris, e para isso preciso em primeiro lugar falar um pouco do princípio do claro e escuro.

Somos seres capazes de enxergar bem tanto no claro quanto no escuro. Estimular essa boa adaptação a diferentes graus de luminosidade é um dos princípios do método. E, para fortalecer a íris, adivinhe só quem será nosso grande aliado? Ele mesmo! O sol!

Eu fui extremamente beneficiada com este exercício porque era uma pessoa que fugia do sol. Não acreditei quando soube que ele era o remédio para todos os meus problemas. Logo no início da prática, senti grandes melhoras, e elas continuaram, dia após dia. Era realmente difícil de acreditar que o exercício do sol ajudou a curar minha enxaqueca.

Com os alunos e pacientes acontecia o mesmo. Lembro que eu perguntava depois de algumas semanas: "Com que frequência você sentiu dores nestes últimos dias?". E a resposta muitas vezes era: "Que dor? Nossa, nem me lembrei da dor essa semana".

Fazer as pazes com o sol mudou a minha vida.

Eu era alguém que vivia escondida dentro de um quarto escuro e passei a morar na praia e trabalhar na varanda da sala sem nenhuma cortina. Todos os dias vejo o sol nascer e se pôr. Todos os dias contemplo o sol. Todos os dias deixo o sol entrar na minha casa e na minha vida. Eu jamais imaginaria que aquela Tati de anos atrás seria capaz de encarar a vida desta forma.

O método fez por mim mais do que voltar a enxergar. Ele fez com que eu passasse a ver a vida com outros olhos.

Sunning

Contraindicação: Não faça esse exercício caso você tenha alguma inflamação aguda ou esteja em período pós-operatório.

O exercício que vamos fazer agora é o *sunning*, ou ensolar. Ele precisa ser feito por pelo menos dez minutos de cada vez.

O exercício consiste em banhar com a luz do sol seus olhos *fechados*. Como seu olho precisa do sol, isso é fantástico. O sol não queima os olhos.

Com os olhos fechados, vire a cabeça de um lado para o outro lado devagar. Tente soltar os ombros e relaxar. Faça em qualquer posição (sentado, em pé ou deitado), você só precisa estar em contato direto com o sol, ou seja, sem janelas, lentes de contato ou óculos entre você e ele, por exemplo.

Pode ser feito também em qualquer horário do dia, incluindo horários de sol mais forte.

Com esse movimento da cabeça e os olhos fechados, e com a mudança entre claro e escuro, você vai estimular a sua pupila a abrir e fechar.

Quando usado com sabedoria e bom senso, o sol é vital para a saúde dos olhos. Viver entre quatro paredes não é uma vida saudável. Tente ter uma vida ao ar livre. Quanto mais luz solar, melhor você vai se sentir.

O *sunning* é o melhor exercício para reduzir a sensibilidade à luz, aquele incômodo que você pode sentir ao se expor à luz do sol sem óculos escuros.

É uma verdadeira musculação para os músculos da íris, que controlam a abertura e fechamento da pupila. Quando você está com a cabeça voltada para a direção do sol, a pupila contrai, pois há mais luz. Já quando você estiver com a cabeça na lateral, um dos olhos estará mais na sombra, fazendo a pupila deste olho dilatar por falta de luz.

Essa contração e dilatação da pupila, por meio dos músculos da íris, fortalece e ao mesmo tempo torna seus olhos menos sensíveis à luz, também aumentando o foco, já que a contração da pupila participa ativamente da formação do foco e da nitidez tanto para longe quanto para perto.

A movimentação da íris também estimula a circulação do líquido interno dos olhos, o que facilita o controle da pressão ocular em caso de glaucoma ou pressão alta, por exemplo.

O sol também aquece a sua córnea, deixando-a mais flexível, o que contribui para diminuição do grau de astigmatismo e controle do ceratocone e outras doenças corneanas. O *sunning* proporciona também o aquecimento de toda a musculatura ao redor dos olhos, trazendo mais sangue e diminuindo a tensão dos olhos.

Você potencializa o relaxamento dessa musculatura adicionando a automassagem ao mesmo tempo que pratica o *sunning*.

Preparei um áudio exclusivo para os leitores deste livro, guiando o exercício passo a passo e conduzindo uma visualização muito especial para os olhos.

Fiz também esse áudio porque quero que você pratique na velocidade e intensidade correta, o.k.? Baixe agora e inicie a prática. Acesse **www.abraseusolhos.com.br**, deixe seu e-mail, e logo em seguida coloque a palavra-chave **Sol**.

BANHO NO ESCURO

Outro exercício para o fortalecimento da íris é o banho no escuro. Sabia que tomar banho no escuro faz bem para sua visão?

O banho no escuro dilata a pupila e ativa os bastonetes, células fotorreceptoras localizadas em sua retina que são responsáveis por sua visão noturna. São as células da visão da coruja.

Vamos tentar? Hoje à noite, apague as luzes quando for tomar o seu banho. Perceba que, em um primeiro momento, tudo fica muito escuro, mas que aos poucos você vai enxergar muita coisa em seu banheiro.

Parece óbvio dizer que você deve olhar longe. Mas não é.

Uma pessoa que tem dificuldade de olhar longe por causa da miopia tem essa dificuldade justamente porque não enxerga a distância. Literalmente, ela não olha longe e não exercita os músculos dos olhos.

Repare em você: você olha o horizonte? As árvores? Os prédios? Quando anda na rua, olha para o quê?

Vivemos numa espécie de impaciência coletiva. Não temos paciência ou tempo para contemplação. Queremos ocupar nosso tempo o tempo todo. Por isso não conseguimos curtir a vida. Nem contemplar.

Quando não enxergamos ainda, ficamos raivosos, reclamando e não aceitando uma condição e dificuldade temporária que acreditamos ser irreversível.

Muitos alunos começam a reparar na torre da igreja, nos prédios. Os relatos são inúmeros. Quando você para e olha o longe, descobre um mundo novo.

Este exercício deveria ser uma prática diária de cinco a dez minutos.

Por que devemos olhar longe?

O seu cristalino se alonga quando você olha longe e se contrai quando você olha perto. Tudo isso controlado pelos músculos ciliares. Se você só olha perto, ele vai perdendo a mobilidade, e isso pode causar ou mesmo piorar a catarata e a vista cansada.

Mesmo que já tenha feito a cirurgia de catarata e implantado um cristalino artificial, você se beneficiará com este simples exercício.

É tão simples que você pode cair na armadilha do tédio, enquanto olha longe, e assim parar de prestar atenção no que está olhando. Para que você não passe por isso, gravei um outro áudio e também quero te dar de presente. Nesse áudio, eu vou guiar o exercício de olhar longe para você. Acesse **www.abraseusolhos.com.br**, deixe seu e-mail, e logo em seguida coloque a palavra-chave **Olhar Longe.**

Olhar longe

Olhar longe é simples assim: pode admirar uma paisagem ou um lugar gostoso de olhar. Qualquer lugar que tenha uma distância maior que quarenta metros. Tanto faz se é durante o dia ou durante a noite.

Esse é um exercício de contemplação. Um exercício fundamental para quem quer enxergar bem até o fim da vida. Você pode incorporá-lo em sua rotina, lembrando-se de todos os momentos em que pode observar a paisagem. Pode estar dirigindo, inclusive.

Olhar longe é a técnica de fortalecimento do cristalino.

O que podemos fazer para potencializar esse fortalecimento é alternar nosso olhar para perto e longe.

Olhe longe-perto

Olhe durante 5 segundos para algo perto dos seus olhos, 30 centímetros mais ou menos (pode ser a sua própria palma da mão), e logo após olhe 5 segundos para o mais longe que puder. Faça de 5 a 10 repetições alternando perto e longe.

Olhe para os detalhes

Sabe quando você desvia o olhar do rosto das pessoas? Isso faz diferença.

O olhar, como muitos dizem, é a janela da alma, mas, acima de tudo, os detalhes são importantes não apenas para as relações interpessoais, como também para a sua mácula.

Alguns alunos, como o Mario Wunder, brecaram a degeneração macular e secaram edemas usando, entre outras práticas, essa simples dica: olhar para os detalhes.

Sabe aquelas letras que você vê e não observa? Olhe para elas. No caso de detalhes de imagens sobre os quais você passa os olhos rapidamente, pare para contemplá-los. Desta forma, você evita o envelhecimento e a degeneração da sua mácula, já que a região da retina é a responsável por fazê-lo enxergar os detalhes e as cores.

Vamos colocar em prática agora mesmo o exercício?

Olhe para os detalhes da imagem ao lado. Eu já olhei essa imagem e gravei em um áudio exatamente como exercitei meus olhos com ela. Eu posso te mandar essa gravação, o.k.? Para isso, entre em **www.abraseusolhos.com.br**, deixe seu melhor e-mail, e logo em seguida coloque a palavra-chave **Detalhes**.

A IMPORTÂNCIA DA VISÃO PERIFÉRICA

O Antônio Basílio, quando me conheceu, tinha feito uma cirurgia para glaucoma e, seis meses depois, enfrentava uma catarata. Na consulta médica, o oftalmologista havia dito que ele não iria recuperar mais a visão. Depois que começou a fazer o curso, percebeu que a visão parecia voltar.

Ele tomava como base o prédio que tinha na frente de sua casa. Aos poucos, começou a enxergar o prédio, as janelas. Sua visão periférica se expandiu. Antes, ele não conseguia mais estacionar o carro do lado direito da vaga na garagem, agora consegue com facilidade.

A verdade é que a nossa vida moderna não exige mais tanto da nossa visão periférica. No mundo dos celulares e computadores, é fácil negligenciar o que está ao redor, já que o foco central toma toda a atenção. Isso causa um desequilíbrio perigoso para os olhos.

Nós lemos, usamos computador e celular utilizando a visão central e esquecemos o que está ao nosso redor. Não utilizamos toda a amplitude do nosso campo visual. Podemos compensar estimulando a visão periférica em todas as atividades que fazemos. De que forma?

Lembre-se de que existe um ambiente ao seu redor. Temos que ter percepção do que acontece ao nosso lado, mesmo sem olhar diretamente com a visão central. Temos que ter a percepção por instinto.

Nossas células responsáveis pela visão periférica são as mesmas responsáveis pela visão noturna – se lembra da célula da coruja? Então, visão noturna e periférica estão intimamente ligadas. Se não temos a percepção periférica aguçada, nossa visão central, cada vez mais utilizada, irá se cansar.

Para quem já teve algum tipo de lesão nesse sentido, saiba que essas células podem sim se regenerar. Inúmeros são os exames de campimetria que meus alunos fizeram comprovando a melhora após a estimulação.

É importante saber como usamos o cérebro para estimular a visão periférica.

Sabe quem tinha uma visão periférica muito aguçada? O Pelé e o Ayrton Senna. A gente não precisa jogar futebol nem dirigir um carro de Fórmula 1 como eles, mas nós conseguimos desenvolver uma boa visão periférica como a deles.

Vamos estimular a sua visão periférica com um cartão preto?

Cartão preto

Recorte esta folha 10×4 cm conforme indicado na folha ao lado.

Depois, providencie uma fita crepe e faça uma bolinha com a fita para que ela grude no cartão e no seu rosto ao mesmo tempo. Cole a fita no centro do cartão e cole o cartão entre as sobrancelhas.

Assim, você vai perceber que, se olhar para a frente, sua visão central foi coberta.

Com a visão central bloqueada, seu cérebro automaticamente já começa a enviar mais estímulos para o seu campo periférico, basta que você olhe para a frente. Não vire os olhos. Olhe para a frente.

Para intensificar a estimulação, abra os braços e faça movimentos ao lado da cabeça com as mãos balançando. Fazer movimentos na visão periférica ajuda na estimulação dos bastonetes.

Não deixe de piscar nem de respirar. Relaxe, faça o exercício como se estivesse numa brincadeira, numa dança.

Você pode descansar os braços alternando com movimentos corporais, virando o corpo de um lado para o outro, sem olhar para os lados, ou seja, continue olhando para a frente, solte os braços e vire seu corpo. A duração média deste exercício é de 8 a 10 minutos.

4 × 14 cm

4 × 10 cm

10 × 6 cm

USO EQUILIBRADO DOS DOIS OLHOS

Um dos princípios para melhorar a visão é o equilíbrio entre os dois olhos. Isso é fundamental para quem quer ter uma boa visão. Vimos o equilíbrio entre claro e escuro, entre perto e longe, entre visão central e periférica e agora vamos falar do equilíbrio entre o olho direito e o esquerdo.

Primeiro me responda: você sabe qual é seu olho mais forte e qual é seu olho mais fraco?

Se você ainda não fez sua avaliação visual, corra lá para as primeiras páginas e faça, pois essa é a forma mais fácil de descobrir qual é o seu olho mais fraco.

Antes de mais nada, vou dizer uma coisa: não adianta chamar o olho mais fraco de ruim. Não dê esse comando errado para o seu cérebro, estamos combinados? Precisamos equilibrar o lado direito com o lado esquerdo.

Vamos confeccionar um tampão?

Como fazer um tampão

Eu sei que eu contei lá no começo que fui traumatizada com o tampão. Mas, nesse caso, acho que vale a pena te ensinar a confeccionar um tampão que não vai te fazer mal. Pelo contrário. Ele será utilizado em um exercício que vamos fazer mais adiante.

Pegue um bojo de sutiã. Isso. Um bojo de sutiã. Sabe quando você fazia aquele tapa-olho de pirata? A ideia é fazer algo parecido. Só que, como o bojo cobre todo o olho, eu indico tentar fazer um tampão com ele.

Se você não tem bojo de sutiã, use o cartão da página 231.

O OLHO MAIS FORTE

A Edina tinha problemas visuais desde pequena. Miopia, ambliopia, hipermetropia e estrabismo. Sempre sofreu muito *bullying* na escola e sofria muito por isso. Mas nunca perdeu a fé.

Pesquisando sobre tudo que poderia fazer, ela chegou a fazer uma cirurgia não aprovada pelo Conselho de Medicina. Mas, em questão de quarenta dias, o grau voltou e ela continuou a usar óculos "fundo de garrafa". Até que um dia, seu oftalmologista ligou dizendo que ela poderia fazer um implante de lentes. Segundo ele, aquilo lhe daria mais qualidade de vida e independência.

Ela fez a cirurgia, tirou o grau do olho direito e ficou com o grau só no olho esquerdo. Mas continuou com o astigmatismo e ambliopia. Ele disse que a ambliopia não se corrigia. E que ela só enxergaria 40% com aquele olho.

Era traumático para ela fazer o teste para a carteira de motorista. Ficava nervosa e era desgastante. Suas limitações no trabalho a deixavam extremamente triste. No entanto, sabia que um dia conseguiria a independência total.

Um dia, ela viu um dos meus vídeos no Facebook. A primeira coisa que seu marido disse foi que na internet havia muita coisa que não era séria e que ela precisava tomar cuidado. Ela pesquisou, ficou convencida de que era sério e se inscreveu em um dos meus cursos *on-line*.

Logo de início já se libertou dos óculos escuros, que ela dizia serem sua segunda roupa. Com o *sunning*, ela passou a encontrar uma pequena libertação. Disciplinada, continuava a fazer os exercícios. E quando fez a segunda avaliação, notou que já tinha melhorado uma linha na avaliação visual de longe.

Ela continuou fazendo os exercícios até que um dia, em sua igreja, na última fileira, conseguiu ler nitidamente as letras da música no painel no altar. E era uma música que ela nunca tinha ouvido. Parecia um milagre. Ler letras brancas com o fundo azul claro.

Por isso, sempre que alguém me pergunta se existe um meio de fazer o olho "mais fraco" voltar a enxergar, eu respondo que sim. Assim como a Edina, dezenas de pessoas já conseguiram recuperar a visão através dos exercícios visuais. Vamos dar uma chance para seu olho mais fraco?

Estímulo com tampão e óculos de obstrução

- É importante o tampão não apertar seus olhos.
- Se não tiver como fazer um tampão, faça um cartão de 10 × 6 cm. Você pode recortar este cartão na página 231.
- Se fizer o cartão, cubra boa parte da visão colocando-o na diagonal.

Com o tampão, vamos tapar o olho mais forte. Por quê? Porque queremos dizer para o nosso cérebro que o olho mais fraco pode funcionar e ser responsável pelas nossas atividades.

Às vezes o olho mais fraco vai ficando cada vez mais fraco por questão de desuso. Isso ocorre porque o cérebro joga estímulo para o olho mais forte, sem equilibrar o uso dos dois olhos. Ao longo do tempo, o olho mais forte vai ficando cansado de levar a visão pelos dois olhos.

Coloque o tampão para cobrir o olho mais forte.

O que fazer com o tampão?

Você pode simplesmente arrumar a casa, cuidar do jardim, brincar com seu filho. Mas nada que fique forçando seus olhos. Nada de ler, assistir televisão ou usar o computador com ele. A ideia é estimular de uma maneira relaxada, sem forçar.

Muita gente coloca de manhã para tomar café da manhã ou fazer alguma outra rotina matinal. Aconselho fazermos pelo menos quinze minutos por dia.

Você pode também jogar uma bolinha do tamanho de uma bola de tênis. É só jogar e receber de volta. Pode ser com o cachorro, com o filho, com um amigo. O importante é relaxar e se divertir com o exercício.

Se estiver sozinho, jogue contra a parede. Pode jogar e pegar de volta, pode jogar, bater uma palma e pegar de volta ou jogar de uma mão para a outra.

Dessa maneira, você vai estimular seu olho de um jeito divertido e eficiente.

Com este exercício estimulamos também a profundidade e rapidez de respostas visuais, facilitando as atividades do dia a dia.

A integração de movimentos e coordenação corporal só faz a visão melhorar. E práticas de exercícios como esse induzem o cérebro a não focar na dificuldade, quebrando padrões corporais e tensões.

Dessa maneira, também trabalhamos a integração e coordenação entre olho e corpo.

Uso dos óculos de obstrução

Podemos também estimular o olho mais fraco, utilizando um óculos que obstrua o olho mais forte.

Você pode recortar o modelo que está na orelha deste livro e montar o seu. Lembre-se sempre de usar a obstrução do lado do olho mais forte, o.k.?

Funciona basicamente como um tampão, porém os óculos não fazem a obstrução total do olho mais forte. Alguma luz e imagem acaba passando, e faz parte do exercício. Aqui, o seu cérebro já começa a acostumar-se a usar o olho mais fraco ao mesmo tempo que imagens e luz chegam ao olho mais forte. Isso ajuda a integrar os dois olhos depois.

Com os óculos, faça as mesmas atividades sugeridas para o uso do tampão, como jogar bolinha, tomar café da manhã etc. Você pode alternar entre o uso do tampão e do óculos, 15 a 20 minutos por dia.

A Lilia Figueiredo sofria de uma doença cuja medicação havia causado uma catarata. Ela já estava há três anos com catarata e não via solução médica para o caso.

Assim que ficou sabendo do método por indicação de uma oftalmologista antroposófica, ela ficou mais animada para fazer os exercícios. Com a proximidade do exame para renovar a CNH, dedicou-se com intensidade aos exercícios. Após dois meses, ela conseguiu passar no exame, mesmo desacreditada pelos próprios médicos, já que a catarata estava em estado avançado quando começou.

Assim que recebi a ligação de seu marido contando que ela tinha passado no exame, comecei a chorar. É maravilhoso perceber como as pessoas podem mudar a vida com isso.

Tem um exercício chamado Melissa que eu particularmente adoro. Ele tem esse nome porque foi criado para uma mulher chamada Melissa. Ela, após um acidente, ficou com um dos olhos muito mais fraco do que o outro e precisava equilibrá-los.

Todo mundo pode usar e abusar dele, mesmo que não tenha nenhum problema e desigualdade entre os olhos, já que este exercício ensina basicamente que os olhos podem funcionar de forma independente.

E quando eles sabem funcionar independentes, eles funcionam melhor juntos.

Este exercício ajudará na coordenação olho – corpo.

Você vai estimular a rapidez de respostas visuais de atividades do dia a dia, integrar movimentos e coordenação corporal que melhoram a visão. Essa prática induz o cérebro a não focar na dificuldade de visão, quebrando padrões corporais e tensões.

Coordenação Olho – Corpo (Melissa)

Para fazer o exercício, faça um cartão de 14 × 4 cm, providencie fita crepe e uma bolinha.

Pegue dois pedaços compridos de fita crepe e grude nas pontas do cartão. Pode pegar pedaços grandes para ter bastante cola no rosto e ele não descolar.

Posicione o cartão da seguinte forma em seu rosto: uma das fitas será colada na testa e a outra no queixo.

Quando estiver assim, pegue a bolinha e jogue-a de uma mão para a outra.

Olhe para a bolinha, acompanhe-a com os olhos enquanto joga de um lado para o outro, e mesmo que ela caia no chão, leve na esportiva e divirta-se com o exercício.

Você pode também bater palma para jogar a bolinha e pegá-la do outro lado. Não precisa mexer muito o rosto, mas não precisa ficar com o pescoço duro.

O caminho ideal é que a bolinha faça uma parábola, passando por cima da cabeça. Se tiver dificuldade, pode simplesmente passar a bolinha de uma mão para a outra.

Quando a bola está do lado direito, só o olho direito vê a bolinha. E quando ela vai para o outro lado, é só o esquerdo que a vê. O tempo médio deste exercício é de 8 minutos.

Balanço longo

O exercício balanço longo integra a visão central, quando se olha para o dedo e ao mesmo tempo você trabalha a visão periférica com o movimento do corpo. Ele também é conhecido como grande volteio ou grande balanço.

Você vai olhar para o seu dedo, posicionado em frente aos seus olhos e vai virar o corpo de um lado para o outro.

Você vai movimentando o corpo e acompanhando o dedo com o movimento do corpo e dos olhos.

Você vai virando de um lado para o outro, com os pés soltos e relaxados. Olhe somente para o seu dedo.

Se tiver dificuldade de enxergar o dedo, olhe para toda a palma da mão. Troque de braço para não cansar e continue o movimento. Repare que, quando você vai para um lado, tudo parece se movimentar para o lado oposto.

É importante piscar e relaxar.

Aumento da circulação sanguínea

Pouca gente sabe, mas a retina é a segunda estrutura que mais necessita de sangue em nosso corpo, e uma boa circulação é essencial para uma boa visão. Por isso, fortalecer os vasos sanguíneos é mais do que necessário.

O meu paciente Roberto Martins usava óculos desde criança. Ainda pequeno já tinha 9 graus. Só que, depois de adulto, teve um descolamento de retina e teve que fazer cirurgia a laser nos dois olhos. Em dado momento, não foi mais possível fazer a intervenção com laser e começaram outras cirurgias e intervenções mais invasivas, mas ele estava frustrado, pois a visão não era mais a mesma.

Fez os óculos, mas não tinha grau que ajudasse. Seu desespero era grande e, numa reunião de amigos, soube do método através de um deles que já havia sido meu aluno e melhorado sua visão. Em apenas três meses de exercícios, ele já notou uma melhora considerável.

O interessante é que ele é um empresário, está no comando de uma empresa em São Paulo e tinha uma rotina superatribulada.

Para ele, o mais difícil foi praticar o *sunning*, já que ficava na maior parte do tempo em lugares fechados. E, por isso, acabou deixando os exercícios de exposição ao sol para os finais de semana, mas ele fazia diariamente o *palming*, o alongamento e a leitura para perto e longe, assim como a visualização de detalhes.

A programação do dia foi uma grande mudança em sua rotina, porque ele entendeu que precisava urgentemente criar novos hábitos. Foi assim que programou pausas quando estava no computador, passou a usar compressas frias nos olhos e foi se entusiasmando novamente com a vida.

Para aumentar a circulação sanguínea dos olhos, é fundamental que você faça massagens regulares em seu corpo. Quando você massageia seu corpo, a sua circulação aumenta e vem mais sangue para a cabeça.

Todos nós deveríamos nos beneficiar da massagem. Quanto mais massageamos o corpo, mais sangue levamos aos olhos. E quando temos uma circulação empobrecida, temos um olho fraco. Um dos princípios para melhorar a visão é: melhore a circulação do seu corpo.

Movimente seu corpo e ajude seus olhos

Todo o seu corpo está interligado.

Quando você movimenta o corpo, ajuda seus olhos e o resultado é fantástico.

Você pode começar soltando as costelas, balançando os braços.

Aparentemente, você estará movimentando os braços para cima e para baixo, abrindo e fechando, mas foque a atenção para o movimento de sanfona das costelas.

Deixe o ar entrar e sair e sinta o corpo se aquecer.

O aquecimento está relacionado ao aumento de circulação sanguínea, portanto, se a partir de hoje sentir os pés ou mãos frios, levante de onde estiver, bata os pés no chão, esfregue as mãos e movimente seu corpo.

Exercício extra

Depois de passar por todos os princípios você vai fazer este exercício, que se chama "técnicas de leitura".

Você vai pegar a folha com vários tamanhos de parágrafo que está na página seguinte. Faça o exercício sem óculos e sem lente de contato.

A distância é de dois palmos dos olhos. Nem mais, nem menos.

A ideia é exercitar seu olho para ler nessa distância.

Escolha um parágrafo confortável para você ler.

1. Algumas regras gerais para facilitar a leitura:

2. Nunca leia com luz desconfortável.

3. Ao menos a cada 20 min pare e faça um *palming* por cerca de 5 min. Seus olhos necessitam de descanso.

4. Lembre-se de piscar constantemente, evitando que seus olhos fitem fixamente e fiquem ressecados.

5. Apresentamos algumas regras gerais que ajudarão a tornar mais fácil a seus olhos a leitura, mesmo que prolongada.

6. Nunca leia com luz desconfortável, e isto significa demasiado brilhante ou demasiado fraca.
A luz errada cansa seus olhos mais depressa do que qualquer outra coisa. Seus olhos vão lhe dizer se a luz é errada para eles: tudo o que você necessita é prestar-lhes atenção. Se ler parece difícil, a luz é a primeira coisa a verificar.

7. Ao menos a cada vinte minutos, mais ou menos, pare e faça um *palming* por cerca de 5 minutos. Do mesmo modo como você faria intervalos durante um intenso trabalho físico, seus olhos necessitam de intervalos no intenso trabalho de ler.

8. Lembre-se de piscar constantemente, para impedir seus olhos de fitarem fixamente ou ficarem ressecados. Se sentir seus olhos arderem após ou durante a leitura, talvez você tenha ficado tão envolvido com o que estava lendo que se esqueceu de piscar. Lembre-se de fazê-lo tão frequentemente quando puder.

9. Tente evitar tanto quanto possível qualquer coisa que esteja impressa em tipo difícil de ler.
Às vezes, ficamos realmente surpresos com a total falta de consideração pelos olhos, óbvia em muitas publicações impressas em tipos tão esmaecidos, tão pequenos, tão pouco claros ou tão elaborados que provocariam um esforço ocular em qualquer pessoa. Tente ficar afastado de tudo isso. E se tiver dificuldade em situações inevitáveis, tais como com documentos ou listas telefônicas, não tente lê-los forçando os olhos. Facilite para seus olhos.

10. Respire. Mesmo que a sua mente esteja em outro mundo, seu corpo ainda está neste e seus olhos necessitam de oxigênio mais do que nunca, então continue respirando. Há tendência de se prender a respiração enquanto se lê, do mesmo modo como em muitas outras atividades que requerem concentração, assim, provavelmente, você precisará lembrar-se de fazer respirações profundas, bem como de piscar.

11. Em nenhum outro lugar como na leitura os princípios de movimentação ocular são tão importantes. O pior que você pode fazer ao ler, ao menos do ponto de vista dos olhos, é tentar apreender sentenças inteiras, ou mesmo parágrafos inteiros, simultaneamente.

12. Quando procedemos assim, inconscientemente estamos imitando o padrão de vista míope, fazendo saltos grandes e infrequentes e tentando abranger um grande campo visual. Lembre-se de que a mácula pode ver apenas pequenas partes de uma só vez e que vê movendo-se de um ponto ao outro.

A primeira coisa que você vai fazer é ler letra por letra.

Lemos rápido e tentamos olhar para todo o parágrafo de uma só vez, essa é uma maneira míope de ler. A chamada leitura dinâmica pode ser boa para produtividade, mas é péssima para seu olho, porque congela o seu olhar e diminui o seu foco.

Olhe para essa palavra, letra por letra. Sabe uma forma de conseguir fazer isso? Vire a folha de cabeça para baixo. E leia o parágrafo de cabeça para baixo. Passe os olhos letra por letra. Pisque, respire e não tensione seus olhos.

Leia esse parágrafo. Passe seus olhos pelas letras, pisque, volte a folha à posição normal e veja letra por letra.

Repare que ficou mais fácil depois de virar a folha de ponta-cabeça. Então, quando você olhar para a letra novamente, você vai passar letra por letra, e não tentar ler o parágrafo inteiro.

Pisque.

Perceba que as letras ficaram mais pretas e um pouco mais nítidas só tomando essa atitude, a de olhar para as letras uma a uma com a região da sua mácula.

Depois de fazer isso, vamos fazer um outro exercício para gerar uma movimentação com a lente interna dos olhos.

Escolha uma letra daquele parágrafo que é confortável para você e olhe longe, o mais longe que puder olhar, e pisque também, cinco vezes longe. Olhe perto e pisque cinco vezes. Olhe longe e pisque cinco vezes.

Faça isso novamente algumas vezes. O ideal seria olhar perto, piscar, olhar longe, piscar, pelo menos dez vezes.

Um outro exercício é encostar a folha no seu nariz, o que fará com que seu cristalino contraia. Desta forma, quando voltar para sua visão normal, seu cristalino estará mais fortalecido.

Se houver algum desconforto, tente vencê-lo. E não caia na tentação de levar a folha para mais longe. Tente ler com a folha colada ao seu nariz. Respire e pode ser que sinta uma pressão entre os olhos, mas leia exatamente desta forma.

Caso não consiga, faça com os parágrafos um pouco menores. Então, concentre-se e vá colocando as letras no foco com os dois olhos.

Depois de ler três ou quatro parágrafos, volte à posição normal e perceba como as letras ficaram mais nítidas.

Terminado o parágrafo, volte a ler e percorra a visão pelas letras. Novamente, grude a folha no nariz e leia esse parágrafo. Essa é uma verdadeira musculação com a sua lente interna. Leia com a folha grudada no nariz e volte.

Quando você volta a folha e coloca-a na posição de trinta centímetros, percebe o quanto as folhas estão mais claras.

Você pode repetir esse procedimento umas cinco vezes.

Não é muito fácil fazer esse exercício das técnicas de leitura pela primeira vez sem acompanhamento. Você pode se confundir, eu sei, e por isso eu gravei um vídeo explicando e fazendo junto o exercício, passo a passo. Se você quiser, eu também posso te mandar por e-mail mais esse presente. Como você já sabe, basta acessar **www.abraseusolhos.com.br**, deixar o e-mail e dessa vez colocar a palavra-chave **Leitura**.

Como arrumar tempo para os exercícios?

Muita gente me pergunta como fazer para encontrar tempo para os exercícios. Eu gosto de lembrar a todos que o que temos em comum e o que nos faz humanos é que todos nós temos 24 horas por dia.

Em 24 horas, Steve Jobs, Madre Teresa de Calcutá, o presidente dos Estados Unidos, a CEO da maior multinacional que você conhece, a sua mãe e todos os seus vizinhos fazem aquilo que precisam fazer e determinaram para suas vidas. O que nos diferencia é a prioridade que damos para cada uma das coisas que está em nossa agenda.

Somos muito acomodados com a nossa rotina e os nossos hábitos. Temos uma série de coisas que gostaríamos de fazer, mas não damos o primeiro passo porque estamos acostumados demais a fazer as coisas da mesma maneira todos os dias.

Então, como vencemos a acomodação?

A primeira coisa que gosto de lembrar é que temos que ter em mente quais são as consequências de não fazermos os exercícios.

Exercícios visuais podem ser facilmente encaixados na agenda, se tivermos uma certa disciplina. Quem não os fizer vai continuar simplesmente com a visão como está, com fortes chances de piorar cada vez mais. Não tem milagre.

Mas, se focarmos nos benefícios dos exercícios visuais, e pensarmos que se dermos o nosso melhor teremos a nossa visão de volta, simplesmente mudaremos a nossa maneira de enxergar as coisas.

O que eu sempre digo para os meus alunos é que temos de ter consciência e clareza do que estamos fazendo sem entrar no piloto automático.

Temos que responder à pergunta: que motivos temos para cumprir estas tarefas? Lembra-se do seu porquê, lá no começo do livro? Olhe para ele. Tente enxergar o seu porquê. Você tem que ter um propósito inquebrantável.

Uma outra dica que sempre funciona é parar de reclamar com a vizinha da falta de tempo. Virou moda encontrar as pessoas na rua, no elevador, na manicure e dizer que a vida anda corrida. Criamos um condicionamento quando reclamamos e vivemos de acordo com aquela criação mental como se fôssemos escravos de algo.

O que precisamos entender é que temos o controle do nosso tempo e podemos dizer a nós mesmos que o tempo é nosso aliado, não nosso inimigo.

Quando estamos em casa, temos a mania de fazer várias coisas ao mesmo tempo. E, desta forma, nem percebemos o que estamos fazendo, as tarefas que estamos executando.

O ideal é fazer uma coisa por vez e bem feita. Mesmo em casa. Quando a gente acha que fazer muitas coisas ao mesmo tempo é produtivo, perde energia. Faça o que precisa ser feito e foque aquilo. Desta forma, você tira as tarefas da frente, uma a uma, e consegue mais tempo para encaixar a sua rotina de exercícios.

Vale se lembrar dos sugadores do tempo. Redes sociais em geral tendem a nos distrair. Tente diminuir suas distrações no seu dia a dia.

Para aproveitar melhor o tempo, experimente acordar mais cedo, aproveitar horário de almoço, intervalos e respiros, quando estiver se locomovendo (carro, metrô, ônibus) ou na sala de espera de algum lugar.

Se você buscar criar um sistema infalível, todos os dias se comprometer a fazer os exercícios em determinado horário e se preparar para isso, não existe nada que possa te brecar.

A EPIDEMIA DE PROBLEMAS DE PROBLEMAS DE VISÃO EM CRIANÇAS

e como podemos resolver isso

Como já pudemos perceber ao longo deste livro, ficar dentro de uma sala fechada, sem luz solar, em frente à TV e ao computador, é nocivo para os adultos. Imagine para as crianças!

Hoje, os cientistas descobriram o que toda mãe já desconfiava: as crianças nascem com inteligência e percepção muito maior do que se dizia antigamente. E o que nós fazemos? Compramos um computador de presente para uma criança de dois anos de idade, brincamos com ela dentro de casa, tudo isso sob luz artificial. Insistimos para que leiam livros, assistam desenhos na TV e joguem vídeo game 3D.

A epidemia silenciosa de problemas de visão em crianças está intimamente ligada a isso. Estudos já comprovaram: crianças que não brincam ao ar livre e ficam muito tempo estudando e brincando em sala fechada têm 90% mais chances de desenvolverem miopia. Dá para acreditar?

No Brasil, estima-se que a cada quinhentas crianças uma possua baixa visão. Entre as possíveis dificuldades apresentadas por essa população, encontra-se a dependência nas Atividades de Vida Diária (AVD), o que influencia a sua interação social, aprendizagem e inclusão escolar.

A visão desempenha um papel fundamental no desenvolvimento do indivíduo e na sua interação com o mundo exterior, sendo motivadora da comunicação, socialização e independência. Cerca de 80% das informações advindas do ambiente são captadas pela visão; portanto, a falta desse sentido integrador pode causar prejuízos diversos ao indivíduo nas esferas social, física e emocional.

Muitas funções visuais podem estar comprometidas no indivíduo com baixa visão, tais como: acuidade visual, campo visual, sensibilidade ao contraste, adaptação à luz e ao escuro, percepção de cores.

São muitas e significativas as implicações da baixa visão para o indivíduo, visto que o déficit visual pode prejudicar a compreensão do mundo e interferir na qualidade de troca e solicitação com o meio, o que pode causar, muitas vezes, a privação de vivências, a limitação de movimentos e a dependência nas Atividades de Vida Diária.

A descoberta de um problema na visão do filho é um dos transtornos mais complicados que os pais podem ter. Mas não precisa ficar desesperado. Atualmente, já é possível tratar problemas na visão com brincadeiras infantis.

Mesmo diante de toda a tensão, a primeira coisa que se deve fazer é controlar suas emoções, ficar tranquilo e não passar esse *stress* para a criança. Evite transmitir preocupação e ansiedade, pois estas reações podem piorar o quadro. É necessário passar segurança, deixar a criança tranquila, já que existe tratamento, passar a certeza de que será feito todo o possível para a melhora dela. Deixe claro que existe um caminho. E que esse caminho pode ser feito através de brincadeiras.

E sim, você pode melhorar a visão do seu filho de um modo natural e, ainda por cima, lúdico e divertido. Um caminho lindo a se seguir e que todos devem levar em consideração e começar a percorrer o quanto antes.

As brincadeiras e técnicas são aqui sugeridas com base em minha experiência com crianças no consultório e nos princípios do método de melhora natural da visão. Muitos dos exercícios para os olhos do método podem ser utilizados em crianças por meio de brincadeiras e jogos visuais. As brincadeiras mais inocentes e os brinquedos mais simples estimulam as crianças, sem acarretar problemas na visão e no corpo. Confie no ritmo e na inteligência inata das crianças e do nosso corpo, e vamos nessa!

Ar livre

Para começar, uma das principais dicas de exercícios para a visão das crianças está na brincadeira ao ar livre. Procure brincar com elas em ambientes abertos, com luz solar, e prefira escolas com amplo espaço e atividades ao ar livre.

Massagem

Vocês lembram que recomendei muitas vezes a massagem ou automassagem para nós, adultos, como forma de relaxamento visual e corporal? A massagem é muito benéfica também para os pequenos. Desde bebês, podemos massageá-los com a técnica da Shantala ou ainda com toques suaves na região das costas, cabeça, pescoço e face, mesmo sem técnica.

Essa troca aproxima as pessoas, favorece a relação familiar e ajuda a criança a dispersar as tensões, já que elas também passam por *stress* visual durante seu dia. A hora de dormir pode ser um momento agradável para usar esses exercícios para os olhos.

Palming

Outro exercício gostoso de fazer com as crianças é o *palming*, cobrindo os olhos por alguns minutos, brincando de esconder e contando histórias enquanto os olhos estão cobertos.

Estímulo da visão periférica

Para estimular a visão periférica o ideal é colocar um papel preto entre os olhos, assim como foi recomendado no caso dos adultos. Corte um pedaço de papel menor (cerca de 3×4 cm). Aproveite para brincar com jogos, com bolas e movimento. Luzes que brilham no escuro são muito atraentes também. Com o cartão entre os olhos, balance e peça para a criança balançar as luzes na lateral da visão.

Detalhes

O olhar da criança é naturalmente atento e curioso, mas podemos estimulá-lo ainda mais. Uma brincadeira interessante que funciona como um dos exercícios para os olhos é pedir para ela olhar atentamente um desenho ou uma figura de revista, depois fechar os olhos e tentar se lembrar de todos os detalhes da imagem. Aquele que se lembrar de mais detalhes ganha o jogo. Você pode perguntar: de que cor era a blusa da menina?

Outra brincadeira que ajuda a movimentação ocular e a visão dos detalhes é o tradicional "jogo dos sete erros", ou os jogos de busca visual no estilo "Onde está o Wally?". Neles, a criança varre as imagens com os olhos procurando algo em específico. Atenção: é importante não exagerar nestes jogos para não cansar a visão.

Olhar longe

Até soltar pipa pode ser estimulante! No exercício de olhar longe você pode brincar de ver desenhos em nuvens, procurar passarinhos nas árvores, lançar discos e bolas a longas distâncias.

Balanço longo

O balanço longo também pode ser feito com crianças pequenas, já que o balanço e o movimento são muito benéficos para a visão dos pequenos. Brincadeiras em balanços nos parques, cama elástica ou redes desenvolvem o equilíbrio e ajudam a estimular os movimentos oculares. Para trabalhar o foco e a fixação visual, acrescente o jogo com bolas enquanto brinca no balanço.

Sunning

E tomar sol? O *sunning* é ideal para bebês e crianças. Podemos banhar o bebê com luz solar mesmo com ele ainda estando na barriga. Ele pode sentir a vibração da luz, o que estimula o desenvolvimento de sua percepção visual. Ensine os pequenos a gostar do sol desde cedo. Eles irão imitar os adultos. Se você fugir do sol e sempre usar óculos escuros, o que esperar de seus filhos? O *sunning* pode ser feito desde cedo com músicas infantis. Músicas rítmicas ajudam a movimentar a cabeça de um lado para o outro, e o mesmo pode ser feito estimulando a aprendizagem dos números.

MIOPIA E HIPERMETROPIA

Exercícios visuais por meio de brincadeiras são importantes para todas as crianças, mas são extremamente essenciais para aquelas que possuem miopia ou hipermetropia. Há muito o que fazer além do uso dos óculos.

Míopes e hipermétropes possuem características comportamentais e corporais diferentes. Os míopes geralmente utilizam com maior frequência habilidades do lado esquerdo do cérebro, o responsável por questões exatas, cálculos, números, memória de curto prazo e visão de perto. Já os hipermétropes ativam frequentemente o lado direito do cérebro, o responsável pelas artes musicais, pintura, imaginação, memória de longo prazo e visão para longe. Faça esta avaliação com as pessoas que você conhece e comprove essas características. Em meu consultório, praticamente todos os pacientes míopes ou hipermétropes se encaixam nesses perfis.

Uma boa ideia é estimular a criança exatamente nas habilidades e tendências que ela não está acostumada a apresentar. Cante, dance, pinte, estimule lembranças do passado e a visão de longe dos pequenos com miopia. Brinque com números, estratégias, jogo da memória e a visão de perto com as crianças hipermétropes.

Estimular os dois lados do cérebro ao mesmo tempo é muito interessante para quem possui tanto miopia quanto hipermetropia.

Conseguimos isso por meio do movimento cruzado, pois o lado direito do cérebro ativa o movimento no lado esquerdo do corpo e vice-versa. Engatinhar e rastejar são exemplos de movimentos cruzados que movem o lado direito e o esquerdo do corpo, ativando assim os dois lados do cérebro. Outro movimento cruzado simples é marchar e ao mesmo tempo tocar com a mão direita o joelho esquerdo e com a mão esquerda o joelho direito. Dançar ou cantar uma música, enquanto faz esse movimento também é uma boa brincadeira para as crianças.

O *palming* com histórias é benéfico também para ambos os casos. Nos hipermétropes, enquanto cobre os olhos, estimule a imaginação de objetos em miniatura, grãos de areia, formigas etc. Massagem, movimento e brincadeiras ao ar livre também devem ser intensificados nos dois casos. Brincar na cama elástica, pular corda, andar de bicicleta e todos os tipos de jogos com bolas são indicados.

Outra técnica interessante para míopes e hipermétropes é a mudança de foco para perto e longe. Utilizando miniaturas, peça para a criança olhar ora para a miniatura, ora para o objeto original colocado ao longe. Imagine uma linha ligando a miniatura ao objeto. Por exemplo: olhar para uma panelinha de brinquedo, seguir uma linha imaginária e olhar para uma panela de verdade, colocada a mais de 5 metros da criança, e depois voltar a olhar para a panelinha. Repita com vários objetos diferentes dentro e fora de casa.

Em todos os casos, procure ouvir a criança, ajudá-la a expressar seus sentimentos, a se aceitar e a se amar, com ou sem problema visual.

ESTRABISMO E AMBLIOPIA

Ambliopia é uma diminuição da acuidade visual unilateral ou bilateral, sem uma causa objetiva. A baixa visão ocorre mesmo com o uso de óculos e com as estruturas oculares estando normais. O olho amblíope é também conhecido como "olho preguiçoso", acontece dentro dos seis primeiros anos de vida e é causado por qualquer doença que possa afetar o desenvolvimento dos olhos.

Em muitos casos a ambliopia é hereditária, mas existem três fatores principais que podem causá-la:

1. Estrabismo. Desvio de um olho, especialmente quando esse desvio é para dentro.
2. Erro de refração (miopia, hipermetropia ou astigmatismo) acentuado num dos olhos. É a chamada ambliopia por anisometropia (que significa diferença de refração entre os dois olhos). Nela, há a negligência por parte do cérebro com relação à visão menos capaz do olho amblíope. Pouco a pouco, isso se torna um comportamento psíquico instintivo e permanente de defesa, ou seja, busca-se a eliminação da imagem pouco nítida. Com o tempo, o olho ruim deixa de participar da visão binocular, reduzindo-se assim sua capacidade funcional.
3. Embaçamento nos tecidos oculares. Doenças como a catarata podem levar à ambliopia. Assim como estrabismos de pequeno ângulo, diferenças de grau podem passar despercebidas aos pais e ao médico não especialista. A prevenção da ambliopia definitiva está no exame oftalmológico de todas as crianças antes dos dois anos de idade.

A mesma linha de pensamento segue para as crianças que possuem estrabismo (desvio dos olhos) ou ambliopia (olho preguiçoso). Todas as brincadeiras e dicas passadas até agora são interessantes para elas. Entretanto, dê prioridade à massagem e ao relaxamento, pois nas duas alterações visuais, tanto o estrabismo como a ambliopia, o esforço para ver é grande e muito estressante para a criança.

A visita ao oftalmologista e/ou optometrista é extremamente importante. Por meio da consulta também saberemos qual olho da criança é o mais forte, qual desvia e para qual direção ele desvia.

De posse destas informações, poderemos trabalhar com a oclusão do olho mais forte e estimulação do olho mais fraco. Quando bebê, a oclusão pode ser feita com a mão. Tape delicadamente o olho mais forte dele e estimule o olho mais fraco, mostrando-lhe brinquedos coloridos e brilhantes, que chamem a atenção do olhar.

O uso do tampão

Outra forma famosa de ocluir o olho mais forte é utilizando o tampão. Muitos pais relatam no consultório a dificuldade da criança em se acostumar ao uso do tampão. Uma forma de facilitar esta adaptação é incorporar o tampão como um objeto comum na vida da família. Coloque-o também nos bichinhos de pelúcia da casa. Faça desenhos da família com todos utilizando os tampões, adicione-o nas fotos dos porta-retratos.

Colocar o tampão também nos brinquedos facilita a adaptação. Seja criativo no uso da oclusão e, de vez em quando, utilize máscaras de super-heróis ou óculos coloridos que exerçam a mesma função.

O tampão estimula o alongamento do olho mais fraco na direção oposta àquela para que ele desvia.

Ou seja, se o olho da criança desvia para dentro, mostre objetos para que ela olhe para fora e vice-versa. Jogue bola na direção em que você pretende que ela olhe. Segure-a em frente ao espelho e incline-se para que ela olhe na direção em que você quer alongar o olho. Depois dos 4 anos você pode mostrar números ou letras para que ela identifique, forme palavras ou faça contas, sempre olhando na direção oposta àquela para a qual o olho desvia.

As brincadeiras com movimento e bolas também são muito indicadas, com ou sem tampão.

Por que crianças não devem usar óculos escuros?

Há inúmeras lojas especializadas na venda de óculos de sol, grandes marcas e celebridades que possuem seu protótipo de óculos para vender, como um item de status social. No mercado infantil também não faltam opções, e infelizmente muitas vezes de má qualidade. Até mesmo nos desenhos para as crianças alguns personagens utilizam e clamam a necessidade de óculos infantil como acessório indispensável para se "proteger" do sol.

Não é difícil encontrar crianças em parques e praças brincando ao ar livre e utilizando os óculos escuros. Outro dia desses, passeando com meu filho, deparei-me com um bebê de 6 meses no carrinho tomando banho de sol (suposição minha) e usando óculos escuros.

Somos seres diurnos. Acordamos e vivemos à luz do sol e dormimos à noite no escuro. Nossos olhos são capazes de se adaptar às diferentes frequências de luz, e a luz ultravioleta é essencial para a existência da vida neste planeta. É claro que a intenção dos pais é proteger os filhos, mas na verdade os olhinhos deles precisam da luz do sol e sua privação pode ser muito prejudicial.

Nossas pupilas (as "meninas dos olhos") são orifícios por onde a luz penetra. Elas fecham e abrem com o movimento da íris (parte colorida do olho), uma estrutura maravilhosa que permite este movimento de contração e dilatação. A luz contrai a pupila e a escuridão a dilata, ou seja, é a mudança constante de luminosidade que faz com que este sistema funcione perfeitamente. Os óculos de sol infantis mantêm nossas pupilas dilatadas pela falta de luz e, com o tempo, a sensibilidade ao sol aumenta, assim como a dificuldade de foco e de visão noturna.

Aos poucos, seus olhos vão perdendo a capacidade inata de se adaptar às diferentes intensidades de luz, e assim a dependência dos óculos escuros só aumenta.

Dizem os médicos mais atualizados: "Tome cuidado com o medo do sol". O abuso dos óculos escuros é sintoma desse medo de sol. Nós temos praticamente óculos escuros dentro dos olhos, pois temos um pigmento – a melanina – que escurece a luz em uma das camadas da retina. O fato de utilizarmos os óculos de sol inutiliza por vezes a função desta camada, tornando esses pigmentos ineficazes.

Nossos olhos precisam da luz do sol, assim como nosso corpo. Ela é uma luz curativa, antibiótica natural, que contém todas as cores e regula nosso sistema endócrino, ou seja, nosso crescimento, comportamento sexual, apetite, temperatura, metabolismos, humor, alternância entre vigília e sono. A produção da Vitamina D, tão essencial à formação óssea e à prevenção de muitas doenças, necessita de exposição ao Sol.

Sobre esse assunto, recomendo a leitura do livro *Luz – a medicina do futuro*, de Jacob Liberman, pois apenas um parágrafo aqui é realmente muito pouco para descrever os benefícios da luz solar.

Em uma dessas conversas no parquinho, uma mãe me disse: "Minha filha não consegue ficar sem os óculos escuros, reclama muito, mal consegue abrir os olhos sem eles". Esse pode ser o seu caso também. Uma das razões para isso é que a pupila e a retina já estão fracas e mal-acostumadas. O que fazer então?

A criança muitas vezes se adapta mais rápido do que nós, adultos, às situações adversas. Portanto, suas pupilas e retinas se fortalecerão muito rápido sem os óculos de sol, e em poucos dias elas não se lembrarão mais deles. A não ser, é claro, que você também os use, ou então que estimule o uso de alguma forma, dizendo, por exemplo: "Como você ficou bonita com os óculos de sol". Muitas vezes, o uso nem é por necessidade, e sim pelo desejo de parecer mais bonito(a) para os adultos.

Já atendi no consultório crianças com má-formação ocular, inclusive na íris, que melhoraram a visão diminuindo a utilização dos óculos escuros juntamente com a prática dos exercícios visuais. Até em casos como albinismo e retinose pigmentar, nos quais o uso dos óculos escuros proporciona um conforto visual às crianças, dosar o uso somente para os momentos em que eles são necessários ajuda o fortalecimento dos olhos, a adaptação à luz e a estimulação visual.

Para os dias muito quentes e com exposição prolongada ao Sol, prefira bonés e chapéus para proteger você e as crianças. E, acima de tudo, ame o Sol e ensine as crianças a amá-lo também.

Será um benefício tremendo para toda a família.

POSSO AJUDAR AS OUTRAS PESSOAS COM OS EXERCÍCIOS VISUAIS?

(incluindo dicas de rotina e motivação)

Quando conheci o método, eu fiquei muito animada para passar esse conhecimento para o maior número de pessoas que eu conseguisse.

E, se você é como eu, deve estar sentindo o mesmo em seu coração agora também.

Os exercícios visuais são tão maravilhosos que realmente precisamos passar adiante, precisamos levar ao mundo os benefícios que todos nós estamos sentindo aqui, não é verdade?

Eu preparei algumas dicas para você nesse sentido, pois, acredite, nem todas as pessoas acreditarão no que você está experimentando, e algumas delas não seguirão seus conselhos.

Como eu sei disso?

Sim, eu passei por isso, mas ao longo dos anos venho desenvolvendo estratégias para convencer as pessoas e fazê-las realmente mudar a forma como veem o mundo, literalmente.

Eu sozinha consegui alcançar muitas pessoas, graças a Deus, mas em um momento da minha vida percebi que tinha a missão de formar mais pessoas que, assim como eu, queriam abrir os olhos do mundo.

Foi então que em 2018 criei o Natural Vision Institute, um instituto destinado a treinar coaches visuais, pessoas comuns que são capacitadas para ajudar mais e mais pessoas a enxergar melhor com o método.

A cada ano, eu e meus tutores treinados formamos pessoalmente centenas de coaches visuais pelo instituto, e sinto uma alegria imensa presenciando esse movimento de Revolução Visual se expandindo.

São dias intensos de aprendizado e vivências e, neles, a pergunta que mais respondo é: "Qual a melhor forma de ajudar as pessoas? Como você faz, Tati?".

Aliás, se você deseja ajudar as pessoas a enxergar melhor e ainda fazer disso uma nova profissão, recomendo que acesse o link https://visioninstitute.com.br/coach e pesquise sobre esse treinamento. Abro seleção para ele algumas vezes ao ano, e você pode se candidatar.

A energia de doação é maravilhosa. Então, se você tem a intenção de ajudar alguém, que maravilha! Seja seu pai, sua mãe, seu filho, seus alunos, seus clientes ou seus pacientes.

Você não precisa ser um profissional da área da saúde para isso, basta querer ajudar o outro.

O conhecimento do nosso corpo e dos nossos olhos é algo inato a nós, e não pertence a essa ou àquela instituição de ensino. Então você pode ajudar, independentemente da sua profissão, da sua idade e também da sua visão.

Ninguém precisa enxergar 100% para poder ajudar outras pessoas. De novo, você só precisa ter a intenção de levar esse método ao mundo. Com o restante eu te ajudo, o.k.?

QUAL A MELHOR FORMA DE CONVENCER A PESSOA?

Uma das melhores formas de convencer alguém de que os exercícios visuais funcionam e são uma alternativa maravilhosa para ela é mostrar que outras pessoas com problemas parecidos com o dela já praticaram os treinos e melhoraram.

Para isso você tem disponíveis inúmeros vídeos de testemunhos. E, depois de tantos anos ajudando pessoas a enxergar melhor, tenho histórias e casos de sucesso com as mais variadas doenças, idades e condições visuais que você possa imaginar.

Para encontrar estes casos, recomendo que você faça o seguinte:

Acesse o YouTube e digite na barra de procura o meu nome + o nome do problema visual a respeito do qual você quer encontrar vídeos. Por exemplo:

Tatiana Gebrael Miopia
Tatiana Gebrael Catarata

Em uma busca rápida você vai encontrar muitos casos de pessoas com aquele problema visual, ou similar, e poderá mostrar para a pessoa que você quer ajudar.

Agora, depois de conversar com ela e mostrar os casos parecidos de melhora, tenha em mente o seguinte:

Você vai ajudar aquela pessoa que **quer** ser ajudada e é **comprometida**.

Não adianta você querer passar os exercícios visuais na fila do pãozinho da padaria se aquela pessoa que está ali não está interessada em ser ajudada.

E outra, às vezes, você sabe que precisa ajudar a sua mãe com degeneração macular, o seu primo, o seu amigo ou outro alguém, mas essa pessoa não está a fim por algum motivo. Aquilo não tocou o coração dela, ela não quer esse tipo de ajuda ou até quer, mas não entende o que é, e também não se compromete, não faz a parte dela no processo.

E eu digo para você que existem dois tipos de pessoas: aquelas que são comprometidas, e estas têm resultado, e as pessoas não comprometidas, que não têm resultado. Isso é fato.

Entenda que esse método é um método de autoaplicação, que depende muito da pessoa e, que por isso, demanda comprometimento. Se ela não tem comprometimento, provavelmente vai acabar se frustrando, e você pode se frustrar também por ver aquela pessoa piorando a visão, sabendo que ela poderia melhorar.

Porém, com os anos entendi algo muito precioso: cada um, cada pessoa tem o seu tempo e o seu momento. E, às vezes, sim, você vai falar dos exercícios visuais para uma pessoa que está usando óculos ali na fila do pãozinho da padaria e aquilo vai tocá-la de alguma forma, e ela vai fazer exercícios e melhorar. Mas existem momentos em que, por mais que você saiba que aquela pessoa precise, ela não vai sentir no coração dela.

E a culpa não é sua, o.k.? Não é dela também. A culpa não é de ninguém. Simplesmente não era o momento dela.

Então, uma dica importante é: ajude quem quer ser ajudado e saiba que o resultado depende do comprometimento da pessoa.

Inclusive, é importante você conversar isso com ela. Diga: "Eu vou te ensinar exercícios visuais que eu aprendi e você precisa colocar em prática quase todos os dias na sua rotina. São exercícios maravilhosos? São. Dão resultado? Sim. Mas você precisa fazer".

ELA SABE MAIS DELA DO QUE VOCÊ

A pessoa que você quer ajudar sabe melhor dela mesma do que você.

Não adianta você achar que você sabe melhor dela. Você não sabe. Quem sabe mais dela é ela. Então, respeite as sensações e as percepções daquela outra pessoa.

Vou te dar um exemplo. Você fala para ela fazer o *sunning* (exercício visual com o estímulo da luz solar) pela manhã porque você imagina que ela vai se sentir bem e que será mais prático para a rotina dela. Porém, na realidade, fazer o exercício no período da tarde é como a pessoa se sente melhor e se encaixa melhor na rotina dela.

Ouça e entenda a vida e as necessidades do outro. Tenha certeza de que será mais eficiente do que falar demais e impor as suas vontades.

COMO EU COMEÇO?

O ideal seria você avaliar ou pedir para essa pessoa fazer a avaliar da visão. Para você, que não é um coach visual formado, sugiro utilizar as avaliações visuais propostas aqui neste livro (nos primeiros capítulos).

Assim, você e ela saberão como está funcionalmente a visão dela antes de começar os exercícios e como ficará depois.

Você já sabe que o nosso corpo é um todo e que a visão é influenciada por muitas áreas da nossa vida. Então, o momento da avaliação é ótimo para conversar sobre outras questões, além das visuais, como tensões corporais, dores, alimentação e emoções.

Coloque-se como um bom ouvinte e acolha sem julgamentos. Só isso já ajudará muitas pessoas, acredite.

Muitas vezes – na maioria das vezes, na verdade –, não é só a questão visual. Tem muito mais que isso, e, só de a pessoa saber que você se importa com ela, já será algo maravilhoso.

FAZER JUNTO

A melhor forma de ensinar os exercícios é fazer junto. O bom disso é que você aproveita o tempo para exercitar a sua visão também.

Ensine os exercícios que você aprendeu neste livro. Eles são básicos, mas muito poderosos e eficientes.

Não ensine todos os exercícios de uma só vez. É muita informação para a pessoa, então escolha dois ou três para começar.

De preferência inicie pelos exercícios de relaxamento, como massagens, *palming* (empalmar), compressas, olhar longe, *sunning* (ensolar).

E, durante a prática, você aproveita para conversar, explicar brevemente como conheceu os exercícios e por que o método funciona.

Converse sobre os hábitos saudáveis para os olhos. Se é uma pessoa que está se alimentando mal, é legal você falar para ela: "Olha, tem alimentos que são muito bons para a visão, o que você acha de fazermos uma receita juntos?".

Explique sobre a importância do sol e de dar pausas no uso do computador ou celular.

Procure repetir e fazer junto o mesmo exercício várias vezes para reforçar o aprendizado.

Tudo o que disser ou praticar será um reforço para a sua própria prática e aprendizado, e isso é extremamente proveitoso.

DICAS PARA A MELHOR IDADE

A maioria dos meus alunos tem mais de 45 anos, muitos deles, mais de sessenta, e alguns, mais de oitenta, então tenho algumas dicas para você ajudar pessoas na melhor idade.

As dicas de não ensinar todos os exercícios de uma só vez, fazer junto e repetir valem muito aqui.

O ritmo pode ser mais lento, e com isso você tem a oportunidade de se aprofundar mais em cada exercício, ficar mais tempo e aproveitar uma prática relaxante.

Após praticar, deixe anotações sobre o que foi feito e instruções bem detalhadas de como colocar em prática.

Algumas vezes, estas anotações precisam ser feitas em letras grandes ou em formato de cartaz mesmo.

Em meus cursos, disponibilizo áudios-guias para os alunos fazerem os exercícios e eles adoram, pois ajuda muito na prática correta. Se você é meu aluno, pode utilizar esses áudios, ou então gravar você mesmo as instruções enquanto pratica com a pessoa.

Cuidado para não infantilizar as instruções e o tom de voz, o.k.? Não subestime a pessoa que você está ajudando.

DICAS PARA AJUDAR CRIANÇAS

No capítulo 9, eu te dei várias dicas sobre como adaptar os exercícios visuais para os pequenos, pois com eles tudo precisa ser com brincadeiras ou com jogos.

É importante estabelecer uma rotina alegre e divertida, porém disciplinada.

Dependendo da idade da criança, a disciplina precisa ser sua (se você é o pai, a mãe ou o cuidador da criança). Porém, após os cinco ou seis anos, você já pode exigir algum nível de comprometimento da própria criança em praticar as brincadeiras e cuidar dos próprios olhos.

Explique para ela o motivo das brincadeiras e jogos, diga que vocês juntos estão cuidando dos olhos dela, e que isso será feito de uma forma divertida e agradável.

Às vezes, a gente esconde as coisas das crianças, mas elas entendem tudo, sentem tudo. Então, mesmo se for um bebê, converse com ele, pois é incrível como, além de entender, eles passam a colaborar e aceitar mais a sua ajuda.

Pense também em ensinar as brincadeiras não só para a criança, mas também para toda a rede de apoio dela: babá, avó, professores, pai, mãe. Todos precisam estar envolvidos ou minimamente informados de que ela está cuidando dos olhos naturalmente.

Os resultados são lindos, vale muito a pena.

DICAS PARA PROFESSORES

Aqui falo para qualquer tipo de professor, não só da escola tradicional, mas para professores de dança, música, línguas, e até da academia de ginástica. Se você é professor, pode contribuir também para a saúde visual do seu aluno, se assim desejar.

Se estiver em uma sala de aula, você pode aproveitar e criar vários momentos de relaxamento dos olhos, por exemplo. É fantástico poder transformar a escola em um local de saúde ocular, e não de piora visual, como acontece na maioria dos casos.

Os exercícios visuais em grupo são extremamente proveitosos, interativos e muito aceitos por crianças, adolescentes e adultos.

Além disso, é algo diferente, divertido, que melhora a concentração e o foco e diminui o *stress*.

Você pode ensinar a automassagem, a troca de massagem e o *palming*. Esses três exercícios são rápidos e fáceis e já relaxam imediatamente qualquer pessoa.

Você também pode deixar a sala toda escura e trabalhar a visão noturna. Fazer compressas, sair para o ar livre para expor os olhos ao sol, brincar de pirata e jogar bolinhas para estimular o olho mais fraco, enfim, solte a sua criatividade.

Tenha certeza de que seus alunos vão adorar e pedir mais.

COMO MOTIVAR OS OUTROS E SE MOTIVAR

Este é um ponto-chave.

Não adianta começar e depois desanimar e deixar de lado a saúde dos olhos, e isso vale para você e para aquela pessoa que você quer ajudar.

A questão aqui é formar um hábito e manter uma disciplina alegre.

Sempre digo para os meus alunos: disciplina com alegria. Não adianta ser um general do exército com você mesmo e com os outros. A leveza e a alegria são essenciais no processo de cura.

Mas também não adianta ser alegre e não ter disciplina. Você realmente precisa se motivar para ter uma prática regular e também motivar a pessoa que você quer ajudar.

Motivação é algo que podemos treinar em nosso cérebro, e ela pode vir de mãos dadas com a formação desse novo hábito de cuidar dos seus olhos.

Lembra como nós começamos esse livro?

Eu te fiz uma pergunta muito importante: qual é o seu porquê?

Se você não definiu ainda o seu porquê, então volta lá nos primeiros capítulos e define.

Esse é o motivo pelo qual você não vai parar, não vai desistir.

Faça essa mesma pergunta para a pessoa que você está ajudando, e peça para ela escrever em letras grandes e colocar em um local bem visível da casa.

Se for uma imagem, melhor ainda. Coloque na porta da geladeira, no espelho do banheiro, ou em outro local em que você olhe para ela todos os dias.

Organizar uma rotina é fundamental também. Crie uma tabela com os exercícios e horários. Distribua nos dias da semana e procure seguir o cronograma que você preparou.

Se estiver ajudando alguém, incentive que essa pessoa monte uma rotina também. Você pode ajudar nesse processo, mas é importante que ela mesma organize os melhores horários para ela.

Tenha em mente que a formação de um novo hábito pode demorar mais de 21 dias. Então persista no início, pois depois fica muito mais fácil.

Nesse início, seu cérebro pode tentar te parar, sabia?

Pois é, nosso cérebro foi programado para fazer sempre as mesmas coisas. Ele não gosta de nada muito diferente na sua rotina. Já reparou como é difícil mudar hábitos?

Nós precisamos fazer com que o seu cérebro entenda que praticar exercícios visuais é algo bom para você e que fará parte dos seus hábitos diários.

E, para isso, é importante essa persistência e essa paciência iniciais, e também mais alguns incentivos.

Por muito tempo estudei como facilitar a rotina e a motivação das pessoas, e descobri em minhas pesquisas que jogos, prêmios e comemorações eram as maneiras mais eficientes para isso.

Você percebeu que neste livro você ganhou alguns presentes ou prêmios no decorrer da sua prática e aprendizado?

Nosso cérebro busca recompensas para aquilo que fazemos, e ganhar presentes e prêmios causa essa sensação de prazer, bem-estar e, mais do que isso, de que estamos no caminho certo e precisamos continuar.

Em sua prática, determine metas, nem muito difíceis e nem muito fáceis, e se presenteie quando as atingir.

Por exemplo, se você tem como meta essa semana praticar exercícios pelo menos uma vez por dia e conseguir cumprir esse objetivo, ao final da semana você pode se dar um presente.

Não precisa ser nada caro. Pode ser ir ao cinema, um livro, um jantar, enfim, algo que realmente te deixe feliz.

Parece bobo, mas funciona.

Desde quando comecei a implementar jogos e presentes em meus cursos *on-line*, consegui aumentar em 40% o número de alunos que completam o curso e, por consequência, melhoram sua visão.

Precisamos de recompensas, e o mesmo você pode aplicar para a pessoa que está ajudando.

Além de recompensas, você precisa **comemorar**.

Seu cérebro só reconhece que aquilo foi bom para você se te causa prazer e se você comemorou, ou seja, ficou feliz por cumprir aquela tarefa.

Não adianta deixar para lá, ou achar que não fez mais do que a obrigação. Você precisa comemorar cada pequeno resultado, cada pequena meta atingida, cada pequeno passo.

Bata no seu próprio ombro e diga para você mesmo: "Bom trabalho", "Eu sou demais", "Eu consegui".

Eu costumo pular (literalmente) e vibrar com meus alunos a cada vitória que eles conquistam. Vibro com cada depoimento que recebo. Grito, dou um soco no ar, bato palmas. Não só para reforçar para o meu cérebro que eu fiz um bom trabalho, mas também para que meu aluno se sinta reconhecido e honrado.

É tão empolgante alcançar uma meta! Sinta isso vibrar em suas células, agradeça a Deus e se encha de motivação para continuar o seu processo ou o daquela pessoa que você está ajudando.

Você pode perceber ao final do processo que a vitória daquela pessoa que você está ajudando é ainda mais incrível que a sua própria vitória.

Vivenciar isso é o que me motiva a cada dia, e sou muito grata a Deus por me dar o privilégio de poder fazer disso a minha profissão.

Converso com meus coaches visuais e eles me dizem o mesmo.

Espero que você também possa usufruir desse sentimento.

É realmente um presente de Deus.

Chegamos ao final do livro, mas apenas ao início de sua jornada.

Você não precisa fazer os exercícios para o resto da vida, mas precisa colocar em prática agora e de maneira disciplinada para atingir o seu objetivo. Assim que ele for atingido, você pode diminuir a prática e até parar de fazer os exercícios visuais, que ainda assim terá desenvolvido hábitos visuais incríveis, e as chances de manter sua visão boa até o final da vida serão grandes.

Os resultados e as mudanças podem ocorrer em alguns dias ou meses, depende de cada caso. Mas independentemente do tempo que demore, o processo é o mais importante. Curta o seu processo, ele é só seu, e comemore cada melhora visual.

Este é o desafio final: praticar os exercícios por pelo menos 45 dias e refazer as avaliações visuais aqui do livro.

Quando você me disser que cumpriu esse desafio final, eu vou te dar mais um presente. Quero conhecer você, saber o que mudou na sua maneira de enxergar o mundo e em seu olhar. Quero que refaça as avaliações e compartilhe o resultado comigo.

Para compartilhar, entre em **www.abraseusolhos.com.br**, deixe o e-mail e logo você será direcionado para uma página onde poderá compartilhar suas realizações. Siga as orientações e utilize a *hashtag* **#euabrimeusolhos** para postar seus resultados e o que você aprendeu comigo neste livro. Assim que fizer isso, receberá meu presente especial por e-mail.

Vamos nos movimentar, juntos, para fazermos a revolução da visão. Que todos tenhamos olhos de águia e saibamos enxergar a vida com mais alegria e amor, agradecendo todos os dias pela dádiva da visão. Se os olhos são as janelas da alma, cuide bem delas. Eu acredito que podemos, juntos, abrir os olhos para a vida e deixar que ela nos encante com toda a sua beleza. E eu espero que você possa compartilhar não só os seus resultados, como os exercícios com alguém que também esteja com a mesma dificuldade que você enfrentou. Vamos, juntos, formar uma corrente do bem, para que esta solução chegue a mais e mais pessoas. Vamos abrir os olhos de quem não quer ou não pode enxergar.

Este é meu desafio.
Vamos juntos?

Reimpressão, março de 2022

Fontes ARNHEM, GT WALSHEIM
Impressão IMPRENSA DA FÉ